DA...
YR IAITH GYMRAEG

GAN

HENRY LEWIS

CAERDYDD
GWASG PRIFYSGOL CYMRU
1983

Argraffiad Cyntaf – 1931
Adargraffwyd – 1933
Argraffiad diwygiedig – 1946
Adargraffwyd 1983, 1994

Manylion Catalogio Cyhoeddi (CIP) y Llyfrgell Brydeinig

Mae cofnod catalogio'r gyfrol hon ar gael gan y
Llyfrgell Brydeinig

ISBN 0-7083-0847-3

Cyhoeddwyd yr argraffiad hwn ar ran
Bwrdd Gwybodau Celtaidd Prifysgol Cymru

Adargraffwyd yng Nghymru gan Wasg Dinefwr, Llandybïe

I

J. WALTER JONES

A

BEN T. JONES

FY ATHRAWON CYMRAEG CYNTAF

RHAGAIR

MAE o leiaf ddau fai ar y llyfr hwn, sef bod gormod ynddo, ac nad oes digon ynddo. Bydd gennyf mwyach fwy o barch i ddetholwyr. Ceisiais fy ngorau beidio â llethu'r darllenydd â gormod o fanylion, ac ar yr un pryd roi ger ei fron ddigon i ddangos y llwybrau a gymerodd yr iaith. Dylwn ddweud bod llawer o gynnwys y llyfr wedi ei roi o dro i dro yn ddarlithiau i ddosbarth allanol, glowyr gan mwyaf, ym Mrynaman—a'u bod oll yn fyw ac wedi para i ddod i'r dosbarth. Bu'r profiad a gefais yn y dosbarth hwnnw yn gymorth mawr i mi i baratoi'r llyfr. Byddaf yn fodlon os derbynnir ef mor garedig ag y gwrandawodd y dosbarth ar y darlithiau.

Darllenwyd y gwaith bob yn bennod gan Mr. R. T. Jenkins, y cyntaf i'w neilltuo i ddysgu Hanes Cymru ym Mhrifysgol Cymru. Cefais ganddo lawer iawn o awgrymiadau gwerthfawr, a dymunwn yma gydnabod yn ddiolchgar fy nyled iddo. Gwelodd yr Athro Ifor Williams rai o'r penodau, a bu'r rheini ar eu hennill. Darllenodd Mr. Stephen J. Williams y proflenni cyntaf; achubodd fi rhag gwallau a rhag tywyllwch ymadrodd yma ac acw. Diolchaf i'r ddau am eu help. Cydnabyddaf yn galonnog iawn garedigrwydd Mr. Jenkin James, a'r driniaeth ragorol a gefais gan yr argraffwyr.

HENRY LEWIS,

ABERTAWE,
   14 Ionawr, 1931.

NODIAD. Manteisiwyd ar yr argraffiad newydd hwn i wneuthur cywiriadau a mân gyfnewidiadau yma a thraw.

CYNNWYS

DATBLYGIAD
YR IAITH GYMRAEG

PENNOD I

RHAGARWEINIOL

GELLID dechrau ymdriniaeth ar ddatblygiad yr iaith Gymraeg mewn llawer dull, ond mae'n rhaid sôn yn rhywle yn y drafodaeth am ei tharddiad hefyd. At hynny y mae hi'n iaith bur gymhleth o ran ei chyfansoddiad, ac wedi cerdded ymhell oddi wrth ei tharddiad ac wedi newid ei gwedd hefyd yn ystod ei gyrfa. Felly nid problem seml a hawdd sydd gennym i'w thrafod yn y llyfr hwn. Er mwyn rhoi'r amrywiaeth a geir yn yr iaith yn weddol glir o flaen y darllenydd, fe'i cymeraf ar daith gyda mi o'r tŷ yr wyf yn byw ynddo i dref Gaerfyrddin. Gallwn ddewis rhwng llawer o ffyrdd. Fe awn ar hyd un ohonynt a dychwelyd dros un arall. Awn drwy'r Dynfant, (neu'n swyddogol, Dunvant), i Gasllwchwr ac yna i Lanelli. Ymadawn â Llanelli drwy'r rhan o'r dref a elwir y Ffwrnes, gan dynnu i fyny at le o'r enw Pump Heol (neu Hewl ar lafar), ymlaen trwy bentref Pontyates (Pontiéts ar lafar), gan ddringo eto i'r Meinciau. (Ymhellach ymlaen cawn wybod ar hen garreg filltir ddigrif faint o ffordd a fydd rhyngom a *Minke*! Hwyrach y cofiwn wedyn ein bod yn y Sir lle y gelwir Myddfai yn swyddogol yn *Mothvey*). O'r Meinciau i lawr â ni i bentre Pont Antwn, heibio i le o'r enw Banc y Capel, a chyn pen llawer o amser cyrhaeddwn Gaerfyrddin. Ar y ffordd yn ôl fe awn drwy Nant y Caws, Porth y Rhyd, y Fforest, Pontarddulais, Pontlliw, ac yna, gan adael Melin Cadle ar y chwith, i fyny tua Fforest Fach, a thrwy le bach o'r enw Pen-yr-heol, ac i'r tŷ drachefn.

I

Mae'r enwau sydd ar y lleoedd hyn oll yn enwau Cymraeg, a gwarant y canrifoedd iddynt, ag eithrio *yates*, beth bynnag yw hwnnw. O'r Ffwrnes ymlaen, enwau cyffredin sydd iddynt, geiriau pob dydd, heblaw enwau'r afonydd Dulais a Lliw, a'r enw dyn Antwn. Enw cyfansawdd yw Cadle ; yr ail elfen ynddo yw'r gair cyffredin *lle*. Gall mai'r gair *cad* yw'r elfen gyntaf, gair a olyga frwydr yn awr ond a olygai fyddin hefyd gynt, fel ei berthynas Gwyddeleg *cath*. Mae Penlle'r Gaer yn ymyl Cadle. Ystyr nant yn gyffredin heddiw yw afonig ; gallai hefyd feddwl cwm, a hyn yn sicr yw ei ystyr yn *Dynfant*, o *dyfnnant* ; gwrywaidd ydyw—y Dynfant y gelwir y lle yn Gymraeg (" the Dunvant " y geilw'r Saeson ef). Cwm dwfn yw'r ystyr. Mewn hen restr o eiriau Galeg, sef iaith Gâl (Ffrainc) rhoir y ffurf *nanto*—â'r ystyr cwm. (Mae lle o'r enw Nantua o hyd gerllaw Lyon). Eto, hen ffurf y gair pump oedd pymp—fe'i gwelir o hyd yn *pymtheg*, gair cyfansawdd o *pymp* a *deg*. Yn y Gernyweg hefyd *pymp* ydoedd, ond *pemp* yn Llydaweg ; mae'r Wyddeleg yn ddigon annhebyg, *cúig (cŵig)*. Ceid *pen* gynt yng Nghernyweg, ac mae *penn* o hyd yn y Llydaweg; mewn enwau cyfansawdd Galeg gwelir *penno-*, megis *Pennouindos*, yn Gymraeg *Penwyn*. Y ffurf Wyddeleg gyfatebol yn awr yw *ceann*, ond *cenn* oedd yr hen ffurf. Yn cyfateb i'r Cymraeg *rhyd* yr oedd gynt yn y Gernyweg *rid*, yn yr Hen Lydaweg *rit*, a cheir *ritum* mewn enwan Galeg fel *Camboritum* " cam-ryd," a *Ritumagus* " rhyd-fa." Mae'n bur debyg bod y gair *rith* i'w gael gynt yn yr Wyddeleg yn berthynas agos iddo. Gair cyfansawdd o'r ansoddair cyffredin *du* a hen enw *glais* " afonig " yw Dulais. Er bod *glais* yn digwydd yn aml mewn enwau lleoedd, peidiodd â bod yn enw cyffredin. Perthynas iddo yn ddiau yw'r gair Gwyddeleg *glaise*, sydd hefyd yn golygu " afonig." Ond mae *du* ar arfer beunydd, yr un modd â'r Llydaweg *du* a'r Gwyddeleg *dubh (dŵf)*, a gwelir yr un gair yn yr hen enw Galeg *Dubis* a roes yn Ffrangeg yr enw " le Doubs " (sef *dŵ*) ar yr afon yn nwyrain Ffrainc.

2

Trown yn awr at eiriau y gellir eu rhoi gyda'i gilydd mewn dosbarth arall. Dyna'r gair caws a welwn yn Nant y Caws. Y ffurf Wyddeleg a gyfetyb iddo yw *cáise*, ac yr oedd *cos* hefyd yn yr Hen Lydaweg. Ond geiriau benthyg ydynt i gyd, o'r Lladin *cāseus*, a roes i'r Saesneg y gair *cheese*. Daw *pont* a'r Llydaweg *pont* a'r Cernyweg *pons* oll o'r Lladin *pont-em*. Yr oedd y gair *melin* yn digwydd yn y Gernyweg, a cheir *milin* yn y Llydaweg a *muileann* yn yr Wyddeleg. O'r Lladin *molīna* y daethant i gyd. Eto mae tri gair *porth* yn Gymraeg, un gwrywaidd yn golygu drws, un gwrywaidd arall â'r ystyr help neu gynhaliaeth, a'r trydydd yn fenywaidd yn golygu hafan. O'r Lladin y daeth y tri. Mae'r cyntaf ar arfer gyffredin o hyd, ac fe ddigwydd hefyd mewn enw lleoedd megis y Porth yng Nghwm Rhondda. Diau taw'r gair hwn sydd yn yr enw *Porth y Rhyd*. O'r Lladin *porta* " drws " y daeth. Nid yw'r ail yn gyffredin bellach, ond gwelir ef yn y ffurf gyfansawdd *cymorth* ; daw'r ddau yn yr emyn :

O Arglwydd Dduw, bydd inni'n borth,
Dod gymorth, o'th drugaredd.

Digwydd hefyd yn y berfenw *porthi*. O'r ferf Ladin *porto* " dygaf, cariaf " y daeth y *porth* hwn. Am y trydydd gair, sef y benywaidd *porth*, nid yw hwn yn air bob dydd yn awr. Fe'i gwelir mewn enwau lleoedd megis y Borth yng Ngheredigion, Porthaethwy (o *Porth Ddaethwy*) ym Môn. Cymerwyd ei le gan y gair porthladd (neu yn ei hen ffurf, porthloedd). Ond erys *porz* yn Llydaweg, a *port* yn yr Wyddeleg o hyd yn gyffredin. O'r gair Lladin *portus* " porthladd " y daeth y trydydd hwn i'r Gymraeg.

Ond mae'r rhestr heb ei disbyddu eto. Dyna'r Ffwrnes —seinir yr *s* fel y Saesneg *sh*, ac felly y gwneir gyda'r gair fel enw cyffredin o hyd mewn rhannau o'r De. Dengys hynny fod y lledlafariad *i* gynt o flaen yr *s*, a honno a barodd y sain *sh*, cyn iddi ddiflannu. Mae'r duedd hon yn gyffredin dros ben ; y Saesneg *sh* a glywir mewn geiriau fel *is*, *pris*, *mis*, *gwisg*, *plisgyn*, a'r ffurfiau tafodieithol *mistir* (o *meistir*), *gwrisg* (o *gwrysg*). Yr un modd y seinir

3

braisg, sef *braishg* (*sh* Saesneg), a cheir y gair hwn yn y ffurf *brashg* mewn rhai ardaloedd, megis yn " glo brashg," " bran brashg." Gwelir bod yr *i* a barodd y sain hon wedi diflannu o'r ffurf olaf fel y gwnaeth yn *ffwrnesh* (*sh* Saesneg). Felly gallwn fynd yn ôl i ffurf hŷn *ffwrneis*, ac erbyn heddiw ysgrifennir hon *ffwrnais*. Yr oedd *furneise* gynt yn y Saesneg, a daeth i'r Saesneg o'r Ffrangeg *fournaise*, a hwn yn ei dro wedi datblygu o'r Lladin *fornacem* neu un arall o amryfal ffurfiau'r gair Lladin *fornax*. Gallasai *ffwrnais* ddod i'r Gymraeg o'r Saesneg neu'r Ffrangeg. Felly dyma i ni air Cymraeg sy'n ail neu drydedd law, fel petai, wedi dod o'r stordy Lladin i ddechrau, ond wedi crwydro drwy siop neu siopau eraill cyn i'r Cymro gael gafael arno. Mae'n ddiau fod ganddo *ffwrn* cyn iddo gael *ffwrnais*, oherwydd yr oedd wedi cael hwnnw'n syth o'r Lladin *furnus*, ffurf amrywiol ar *fornus*, gair a'r un gwreiddyn ynddo â *fornax*. Eto benthyciad yw *fforest* o'r Saesneg neu'r Ffrangeg (o'r Ffrangeg y daeth i'r Saesneg), ond y Lladin a'i rhoes i'r Ffrangeg. A dyna'r gair *banc*, benthyciad ar all o'r Saesneg. Mae'n ddiddorol sylwi bod y ffurf *bonc* arno gynt yn Saesneg. Benthyciwyd yr olaf i'r Gymraeg, ac wedyn caledwyd y *b* i *p*, a chafwyd *ponc*. Yn awr, gair gwrywaidd yw *banc*, ac felly pan fyddir yn sôn am fanc bach gelwir *bencyn* arno. Ond mae *ponc* yn fenywaidd, ac felly ffurf y bachigyn yw *poncen* ; yn ôl arfer dafodieithol sy'n ddigon hysbys, cynenir y gair hwn *poncan*. Mae'r ffurf luosog i'w chael yn yr enw lle *y Ponciau* hefyd. Yr olaf o'r geiriau a ddigwydd yn enwau'r lleoedd y buom drwyddynt yw *capel*. Dyma air a gawsom o'r Hen Ffrangeg a siaredid gan y Normaniaid a ddaeth i'r wlad yma gyntaf yn niwedd yr unfed ganrif ar ddeg, ac fe ddaeth yno o'r Lladin.

Mae'r daith hon wedi dangos i ni fod geirfa'r Gymraeg yn amrywiol ei tharddiad. Gwelsom un dosbarth o eiriau nad ydynt yn fenthyciadau o iaith arall, ond sydd yn eiriau cynhenid Cymraeg y ceir eu tebyg mewn

4

Cernyweg, Llydaweg, Gwyddeleg, a Galeg hefyd. · Y maent yn rhan o'r hen dreftadaeth. Mewn dosbarth arall gwelsom eto eiriau y ceir perthnasau iddynt yn yr un ieithoedd ag yr ydym wedi eu nodi, ond mai geiriau benthyg ydynt o'r Lladin, iaith yr Ymerodraeth Rufeinig. Benthyciadau uniongyrchol ydynt, wedi eu cymryd yn syth oddi wrth y Rhufeiniwr. Ond yn y trydydd dosbarth gwelsom eiriau a fenthyciwyd o ieithoedd eraill. Cawsom un enghraifft o air wedi ei gymryd o'r stoc o eiriau o'r Saesneg a'r Ffrangeg a ddaeth i'r ieithoedd hyn o'r Lladin. I'r dosbarth cyntaf y perthyn y gair *rhyd*, i'r ail y perthyn y gair *porth* ("drws") a chan inni gymryd dwy ffordd ar ein taith rhwng Abertawe a Chaerfyrddin, er na chawsom y gair *ffordd* yn un o enwau'r lleoedd y buom drwyddynt, fe'i cymeraf yma'n enghraifft o air sy'n perthyn i'r trydydd dosbarth, canys benthyciad o'r Saesneg yw. Sylwch ar y tri gair hyn—*rhyd, porth, ffordd*. Maent yn annhebyg iawn i'w gilydd, ond gadewch inni eu trafod yn fanwl. Cymerwn eu cynffon i ddechrau—*d* yn y cyntaf, *th* yn yr ail, *dd* yn y trydydd. Symudwn gam yn ôl, a chawn yn yr hen air Galeg sy'n perthyn yn agos i *rhyd*, sef *ritum*, y gytsain *t* yn cyfateb i *d* y gair Cymraeg. Hefyd cawn *t* yn y gair Lladin y daeth *porth* ohono. Y gair Saesneg a roes *ffordd* i ni ydyw *ford*, ond cofier ei fod yn yr iaith Gymraeg er cyn y ddeuddegfed ganrif. Dyma ni felly wedi mynd yn ddigon pell i weld, yn lle *d, th*, ac *dd*, y cytseiniad *t, t*, a *d*. Ar ddechrau'r geiriau cawn *p* yn yr ail ac *ff* yn y trydydd, ond nid oes dim tebyg yn y cyntaf. Eto, yng nghanol y ddau olaf cawn *or*, ond yn y cyntaf *rhy* yw'r peth tebycaf a gawn. Ffurf y gair *rhyd* yn Hen Gymraeg oedd *rit*. Os cymerwn hon gallwn roi'r gyfatebiaeth rhwng y tri gair, *rit, porta, ford*, fel hyn : (1) ar y dechrau nid oes dim yn y cyntaf sy'n cyfateb i *p* yr ail ac *f* (sef *ff*) y trydydd, ac fe sylwn wrth gwrs mai *f* yn yr olaf sy'n cyfateb i *p* yn yr ail ; (2) cawn *ri* yn y cyntaf yn ymyl *or* yn y ddau arall ; (3) gwelwn *t* yn y ddau gyntaf yn cyfateb i *d* yn yr olaf.

Mae'r awdurdodau ar hanes yr iaith Saesneg wedi dangos mai cyfnewidiad yn yr iaith honno yw'r *d* yn y gair hwn, a'i bod hi i'w holrhain yn ôl i *t*. Felly dyna ni gam yn nes at gysylltu'r tri gair—mae *t* ynddynt ill tri. Eto, mae'r ysgolheigion a fu wrthi'n astudio ieithoedd a'u cymharu â'i gilydd wedi dangos bod *ri* ac *or* yn y tri gair hyn i'w holrhain yn ôl yn y pen draw i'r un sain, ond bod yr hen sain wreiddiol hon wedi ei newid gan y gwahanol ieithoedd yn eu dull eu hunain. Ac nid yn y geiriau hyn yn unig y gwelir *p* yn Lladin ac *f* yn Saesneg heb ddim i gyfateb iddynt yn Gymraeg. Dylid dweud mai cyfnewidiad yn y Saesneg, neu'n hytrach ym mamiaith y Saesneg, yw'r *f* am *p*. Er enghraifft cawn *llaw* yn Gymraeg, *lámh* (a gynenir yn bur debyg i *lâw*) yn yr Wyddeleg, ond yn Lladin *palma* ac yn Hen Saesneg *folm*. Gwyddom taw *llawf* oedd y ffurf wreiddiol Gymraeg, achos cedwir yr *f* mewn gair cyfansawdd fel *llofrudd* o *llawf* a *rhudd*, dyn â'i law'n goch. Benthyciwyd y Lladin *palma* i'r Gymraeg yn y ffurf *palf*, ac i'r Saesneg yn y ffurf *palm*. Nid ar ddechrau gair yn unig y digwydd hyn. Lle y dywedwn ni *nai*, a'r Llydawiad *ni*, a'r Gwyddel *nia*, dywedai'r Rhufeiniwr *nepos* a'r Sais (cyn y ddeuddegfed ganrif, beth bynnag) *nefa* (h.y. *neffa*)—ni ddaw'r Saesneg *nephew* i mewn yma, canys *v* yw sain naturiol *ph* yn y gair, a dengys hynny mai o'r Ffrangeg *neveu* (a ddaeth o'r Lladin) y cymerodd y Sais ef. Ar ôl cael y manylion hyn, bydd y darllenydd efallai'n barod i gredu bod *rhyd*, *porth* a *ffordd* wedi dod yn wreiddiol o'r un gair, er cymaint y newid a fu arnynt o ran ffurf ac ystyr yn nhreigl y canrifoedd. Diau mai datblygiadau naturiol yw'r ystyron hyn o ryw air oedd yn bod ryw dro ac a olygai rywbeth fel " treiddio at beth ". Ac onid hynny a wneir mewn rhyd, mewn porth, ac ar ffordd ?

Pe elid ati i luosogi o'r ieithoedd hyn ac ieithoedd eraill enghreifftiau tebyg i'r tri gair uchod, fe welid mai *p* sydd yn y mwyafrif. Oddi wrth hyn, casglwyd mai *p* oedd y ffurf wreiddiol, a bod rhai ieithoedd wedi ei cholli ac eraill wedi ei newid. Rhyw wahaniaethau neu gyfateb-iaethau fel hyn a arweiniodd ysgolheigion i ddal sylw manwl ar berthynas ieithoedd â'i gilydd, ac i geisio pen-derfynu'r berthynas. Nid oes galw arnom ni yn y llyfr hwn i fynd ar hyd y llwybrau y buont hwy arnynt i setlo'r amryfal broblemau. Bydd yn ddigon i ni dderbyn yr hyn a benderfynwyd ganddynt hwy ar ôl astudiaeth wyddon-ol ddyfal a beirniadaeth drwyadl. Ond wrth fynd heibio ni all dyn lai na synnu'n ddirfawr pan ddywedir wrtho fod perthynas ffurf eiriol yn ogystal â pherthynas amcan rhwng *cegin* a'r *pobi*, neu fod *hedd* a *swydd* fel ffurfiau beth bynnag yn berthnasau gweddol agos, neu fod *crwydr* a *rhidyll* wedi dod o'r un man. Ond rhaid inni beidio ag ymdroi gyda'r pwyntiau diddorol hyn.

Mae astudio a chymharu ieithoedd yn fanwl â'i gilydd wedi dangos bod y rhan fwyaf o ieithoedd cyfandir Ewrop, a rhai o ieithoedd Persia a'r India, i gyd yn perthyn i'w gilydd. Gwahaniaethant yn fawr iawn oddi wrth ei gilydd wrth gwrs, hyd yn oed yn y ffurfiau hynaf arnynt sy'n hysbys. Ond wrth luosogi enghreifftiau canfuwyd bod y gwahaniaethau hyn yn bur gyson, yn rhy gyson i fod yn gwbl ddamweiniol. Er enghraifft, lle y ceir *pwy* yn Gymraeg, *cia* sydd yn yr Wyddeleg a *quis* yn Lladin. Dywedir *pedwar* yn Gymraeg, *ceathoir* yn yr Wyddeleg (*cethir*, h.y. *cehir*, yn yr hen gyfnod), a *quattuor* yn Lladin. Eto, mae'r gair *halen* yn amlwg yn cynnwys yr un elfen â'r Gwyddeleg *salann*, a gwelir hi yn y Lladin *sal*, y Groeg *hals* a'r Saesneg *salt*. Felly hefyd cyfetyb y gair *hen* i'r Gwyddeleg *sean* (gynt *sen*), a cheir yr un elfen yn y Lladin *senex* " henwr." O gymharu llu o eiriau fel hyn â'i gilydd lle na ellir dal bod benthyca o'r naill iaith i'r llall, y casgliad naturiol oedd bod y geiriau hyn i'w holrhain yn ôl i'r un ffynhonnell. A chofier nad yn yr eirfa yn unig y gwelir y cyfateb hwn chwaith, ond hefyd yng nghyfansoddiad yr ieithoedd, yn y dull y newidir eu geiriau er amrywio ystyr neu er eu cyfuno ynghyd i gyfleu gwahanol feddyliau. Gellir yn hawdd ddeall bod astud-

7

iaeth felly yn gymhleth iawn, ac nid ar chware bach y
gallwyd ennill y prif egwyddorion o'r cymhlethdod hwn.
Bu raid myfyrio ar hanes pob iaith er gweld sut y newid-
iodd ac y tyfodd. Yna rhaid oedd cyferbynnu digwydd-
iadau pob iaith â'i gilydd. Amrywiai'r defnyddiau a
oedd wrth law i astudio'r ieithoedd yn fanwl. Nid yw'r
iaith ysgrifenedig (neu gerfiedig) ond cyfran fach o'r iaith
ac ar honno'n unig y gallwn seilio'n gwybodaeth ohoni
yn y dyddiau gynt. Nid yw'r cofnodion hynaf sydd ar
glawr o unrhyw iaith ond megis er doe neu echdoe yn
hanes yr iaith. Pan gofier yr holl bethau hyn, ni all y dyn
ystyriol lai nag edmygu'n fawr y gweithwyr hynny a
fwriodd gymaint o oleuni ar hanes a thyfiant yr ieith-
oedd.

Gwyddys bod y Ffrangeg a'r Eidaleg a'r Sbaeneg, i
gymryd tair iaith yn unig, wedi deillio o'r Lladin.
Nid y Lladin a ddysgir yn yr ysgolion—iaith lyfr yw
honno—ond y Lladin a siaredid beunydd yn y rhan-
nau hynny o'r Ymerodraeth Rufeinig. Mae'n sicr bod
llawer o wahaniaethau yn y modd y lleferid hi yn y
gwahanol wledydd pan oeddynt eto'n rhan o'r Ymerod-
raeth. Wedi i'r gwledydd hynny beidio â bod dan
lywodraeth Rhufain, cafodd y dulliau lleol hyn eu ffordd
eu hunain i fynd rhagddynt, ac ymhen ychydig ganrif-
oedd datblygasant yn ieithoedd annibynnol. Gellir
adnabod y berthynas agos sydd rhwng y tair iaith uchod
a'i gilydd, ond y maent erbyn hyn mor wahanol i'w
gilydd fel y bydd yn rhaid i Ffrancwr ddysgu'r Eidaleg
cyn gallu ei deall. Ac wrth gwrs mae'r famiaith Ladin
yn ddieithrach iddo na'r chwaeriaith Eidaleg neu Sbaen-
eg. Dyna gyflwr pethau gydag ieithoedd y mae eu
hanes i gyd yn gorwedd o fewn y cyfnod hanesyddol.
Eler yn ôl gam i'r cyfnod cyn dechrau hanes, a gellir
casglu mai cyffelyb fu gyda'r Lladin ei hun. Ceir gwedd-
illion ieithoedd a siaredid gynt yn yr Eidal, ieithoedd
sydd yn debyg iawn i'r Lladin, ac ar yr un pryd yn
wahanol iawn hefyd. Mae'r Lladin a hwythau fel

brigau gwahanol o'r un gangen ; gallwn weld y brigau, ond mae'r gangen o'r golwg. Gallwn fynd yn ôl fel hyn yn hanes y rhan fwyaf o'r ieithoedd y cyfeiriwyd atynt eisoes, a chael yn y diwedd eu bod oll yn rhan o'r un pren, yn tyfu o'r un gwraidd. Casglwyd felly mai datblygiadau o un iaith gyntefig yw'r ieithoedd hyn. Cofier nad oes dim gweddillion o'r iaith gyntefig honno'n bod, ac nad hi oedd yr unig iaith gyntefig yn y byd, ac na ellir gwybod hyd yn oed a oedd berrthynas rhyngddi hi a'r ieithoedd cyntefig eraill. Rhoir amrywiol enwau i'r iaith gyntefig honno ; Indo-Ewropeg yn ôl y Ffrancwyr, Indo-Germaneg yn ôl yr Almaenwyr, Arieg yn ôl eraill. Mae'n sicr i'w llefarwyr cyntaf ledu dros y gwledydd i bob cyfeiriad a mynd â'u hiaith gyda hwy. O ganlyniad newidiodd yr iaith yn fawr iawn, ohoni ei hun ar dafod ei llefarwyr, a thrwy fod y gwahanol finteioedd o grwydraid yn taro yn erbyn gwahanol estroniaid cwbl anghyfiaith. Tybir i'r Indo-Ewropeg ymrannu'n nifer o " dafodieithoedd " lleol, fel petai, ac o'r rheini gydag amser ddyfod cangenieithoedd y datblygodd yr ieithoedd hysbys i ni heddiw ohonynt. At gangheniaith o un o'r " tafodieithoedd " hyn y mae'n rhaid mynd i ddechrau olrhain tarddiad yr iaith Gymraeg.

Yr enw a roir ar yr hen gangheniaith hon yw Celteg, a gelwir y gangheniaith arall a ddaeth o'r un " dafodiaith " yn Italeg. Gellir galw'r " dafodiaith " honno yn Gymraeg wrth yr enw Celt-Italeg ; yn Saesneg yr enw a roir arni yw *Italo-Celtic*, a chyffelyb yw'r enw arni gan ysgolheigion y cyfandir. Rhaid cofio eto nad oes gennym ddim gweddillion o'r cangenieithoedd hyn, sef yr hen Gelteg gyffredin a'r hen Italeg gyffredin. Ymrannodd yr olaf yn ddwy adran, ac i'r adrannau hyn y perthyn y gweddillion cyntaf y gellir eu hastudio. Yr oedd dwy brif iaith yn y naill o'r adrannau hyn, sef Wmbreg ac Osceg. Yn yr adran arall ceir Lladin ar y naill law, sef iaith y brifddinas, iaith Rhufain, ac iaith y gwladwyr o gwmpas Rhufain ar y llaw arall. Oherwydd gallu a safon uchel gwareiddiad y brifddinas aeth ei hiaith hefyd yn drech nag ieithoedd eraill yr adrannau hyn, er y gwyddys bod y Lladin urddasol ei hun wedi benthyca arnynt hwy. Dilynodd iaith Rhufain ei milwyr i drefedigaethau'r Ymerodraeth, a phan dorrodd yr Ymerodraeth torrodd yr iaith hefyd. O'r toriad hwnnw y cafwyd yr ieithoedd Romanaidd fel y gelwir hwy, megis y Ffrangeg a'r Eidaleg.

Felly hefyd gyda'r hen Gelteg gyffredin. Mae'n bur debyg taw yn nyffryn uchaf afon Donaw, neu Danube fel y geilw'r Sais hi, y siaredid hon gyntaf. Eithr ymledodd ei llefarwyr hi o'r rhan honno o'r cyfandir bron i bob cyfeiriad, ac y mae'n bur sicr bod y symudiadau hynny wedi peri i'r iaith newid cryn dipyn. Gwyddom fod y bobl a elwir yn Geltiaid wedi lledu dros ogledd yr Eidal, Gâl, Sbaen, a thua'r dwyrain cyn belled â Galatia, lle y bu ganddynt frenhiniaeth dros amser, yn ystod yr ychydig ganrifoedd cyn y cyfnod Cristnogol. Ni bu iddynt ddinas barhaus yn y rhan fwyaf o'r gwledydd hyn, fel y gwyddom. O'r drydedd ganrif cyn Crist ymlaen disodlwyd hwy o gam i gam gan allu Rhufain. Mae'n sicr iddynt fynd â'u hiaith gyda hwy i'r gwledydd newydd hyn, oblegid gwelir ei holion hi mewn enwau lleoedd yno. Wrth gwrs ffurfiau wedi eu lladineiddio sy'n hysbys i ni gan mwyaf, ond hen enwau Celteg oeddynt. Un o'r geiriau mwyaf cyffredin sy'n digwydd mewn enwau cyfansawdd yw hwnnw a gyfetyb i'r Gwyddeleg *dún* (h.y. *dŵn*), caer neu gastell, sy'n digwydd yn y ffurf *din* yn Gymraeg mewn geiriau fel *dinas*, *Dinlleu*, *Caerfyrddin*. Er enghraifft *Eburodunum* oedd enw tref yn Ffrainc, Embrun yn awr ; yn yr Yswistir, Yverdun yn awr ; ac ym Morafia Brno heddiw (hefyd yn Almaeneg, Brünn). Cyfetyb y rhan gyntaf o'r enw i'r gair *efwr* yn Gymraeg, a welir yn Dinefwr ; yn wir *Eburodunum* y tu chwith fel petai yw Dinefwr. Ceir yr un " tuchwithdod " yn yr enw Dinlleu o'i gymharu â *Lugudunum* neu *Lugdunum*, yn awr Lyon yn Ffrainc, Leyde yn yr Isalmaen a Leignitz yn Silesia. Enw

a ddigwydd yn aml yw *Nouiodunum* " y dref newydd."
Yr oedd amryw yng Ngâl, ac enw un ohonynt bellach yn
Ffrangeg yw Nouan ; coffeir un yn yr Yswistir yn Nyon.
Yr oedd lleoedd o'r enw yng Ngharniola a hyd yn oed yn
Rwmania. Gŵyr pawb mai ym mhlwyf Llanfihangel yng
Ngwynfa y ganed Ann Griffiths. Ystyr Gwynfa yw maes
gwyn, fel ei berthynas Hen Wyddeleg *Findmag* a roes
Finvey a Finvoy yn Iwerddon heddiw. Yr oedd Gwynfa
yng Ngâl gynt hefyd, ond mai *Uindomagus* ydoedd yn
ysgrifen y Rhufeiniwr. Ceid yr ail ran o'r enw yn
Scingomagus yn Asia Leiaf, er enghraifft.

Eithr ni ellir casglu rhyw lawer iawn o wybodaeth am
yr iaith o enwau lleoedd fel hyn, ac o'r enwau personol a
gofnodir yn ysgrifeniadau ac arysgrifau Groeg a Lladin.
Yn wir pan sonnir am Gelteg y cyfandir, fel rheol Galeg
a feddylir. Wrth yr enw hwnnw y gelwir iaith nifer
gweddol o arysgrifau ar feini a llestri pridd a phres a
ddarganfuwyd o dro i dro yng Ngogledd yr Eidal ac yn
Ffrainc. Ni chynnwys yr holl eirfa hysbys ond ychydig
gannoedd o eiriau, a llawer o'r rheini'n dywyll. Prinnach
byth yw'r adnoddau at ddeall cystrawen yr iaith. Ni ellir
gwybod mwyach faint o wahaniaeth oedd rhwng Galeg,
yn yr ystyr fanylaf, a'r mathau o Gelteg a siaredid yng
ngwledydd eraill y cyfandir. Digon at ein pwrpas ni yn
awr yw gwybod bod Galeg yn ddisgynnydd o'r hen
Gelteg gyffredin, fel y gwelsom fod Lladin, er enghraifft,
yn ddisgynnydd o'r hen Italeg gyffredin. Gwelsom
hefyd i'r Lladin goncro'r holl ieithoedd Italeg eraill ;
concrwyd Galeg hefyd gan y Lladin, ac erbyn y bedwar-
edd ganrif o'r cyfnod Cristnogol yr oedd Galeg wedi
marw heb etifedd ar ei hôl. Darfu'n llwyr dros dro am
unrhyw lafar Celteg ar gyfandir Ewrop. Ond yr oedd
pobl a siaradai iaith Gelteg wedi croesi'r môr ymhell
cyn hynny i Iwerddon a Phrydain. Nid oes raid inni
ymdrin â phwnc dyrys y ffordd neu'r ffyrdd y daethant
yma. Ymfodlonwn ar fynegi'n syml fod dwy adran o'r
hen Gelteg gyffredin yn yr ynysoedd hyn, fel y gwelsom

ddwy adran i'r Italeg yn yr Eidal. Yr enw a roir ar y naill yw Goedeleg, ac ar y llall Brythoneg. Mae'n gwybodaeth am y ddwy iaith hyn yn llai neg am Aleg. Nid oes gymaint ag un arysgrif yn y naill na'r llall ohonynt. Mae enwau priod ar leoedd, pobloedd a phersonau wedi eu trosglwyddo wrth gwrs, a hefyd ryw nifer o eiriau cyffredin. Ond nid oes gennym gymaint ag un frawddeg yn un o'r ddwy iaith. Goedeleg oedd mamiaith Gwyddeleg Iwerddon, a ffurfiau ar Wyddeleg Iwerddon wrth gwrs yw Gaeleg Ysgotland a Manaweg Ynys Manaw. Brythoneg oedd mamiaith y Gymraeg, y Gernyweg a'r Llydaweg. Ag eithrio Gaeleg a Manaweg, nad ydynt ond ffurfiau ar Wyddeleg fel y dywedwyd, mae gennym ddefnyddiau i astudio'r ieithoedd hyn o'r nawfed ganrif ymlaen. Drwy efrydiaeth wyddonol a hanesyddol ohonynt gellir canfod llwybrau eu datblygiad, ac wrth gymharu'r llwybrau hyn â'i gilydd yn ofalus gellir synio'n weddol gywir beth oedd gwedd allanol ffurfiau'r mamieithoedd. Mewn ystyr tyfu a wnaethant hwy o'u mamiaith, nid bob amser yn gyson a rheolaidd, fel y ceisir dangos eto wrth fanylu ar yr iaith Gymraeg. Wrth dyfu yr oeddynt yn ymddieithrio oddi wrth y famiaith, fel yr ymddieithrodd yr ieithoedd Romanaidd oddi wrth eu mamiaith Ladin. Mae'r berthynas rhwng Gwyddeleg a Goedeleg, ar y naill law, a rhwng y Gymraeg, y Gernyweg, y Llydaweg, a'r Frythoneg ar y llaw arall yn cyfateb yn gyffredinol i'r berthynas rhwng y Ffrangeg a'r Lladin. Ymhellach, yr oedd Goedeleg a Brythoneg, felly, yn yr un safon o ddatblygiad, fel petai â'r Lladin. Yr ydym yn y paragraff hwn wedi dechrau gyda'r Gelteg a dod ymlaen at yr ieithoedd diweddar ; yna wedi troi tuag yn ôl dros yr un llwybr. Yn wir, wrth fynd yn ôl o'r ffurf ddiweddaraf ar iaith yn unig y gallwn ddod i wybod digon am y famiaith i weld datblygiad iaith newydd pan fo'i mamiaith wedi ei llwyr golli.

I barhau ar y ffordd yn ôl am ennyd, fe gofir inni weld

bod Lladin ac Wmbreg ac Osceg yn adrannau o'r Italeg, a bod Italeg a Chelteg yn rhaniadau o'r " dafodiaith " Gelt-Italeg. Y rheswm dros ddal bod y ddwy gangheniaith hyn wedi disgyn o'r un dafodiaith Indo-Ewropeg ac nid yn syth o'r Indo-Ewropeg ei hun yw bod iddynt nodweddion sydd yn arbennig iddynt hwy ac nas ceir yn yr ieithoedd eraill o'r un tylwyth. Mae hynny'n sail gref i'r farn fod y ddwy gangheniaith rywdro'n ffurfio undod. Ni raid manylu arnynt, ond y mae un ohonynt yn dra diddorol. Fe welwyd eisoes fod geiriau Cymraeg yn dechrau â *p* yn cyfateb i eiriau Gwyddeleg yn dechrau ag *c*, megis pump a *cúig*, pen a *ceann*. Ceir peth tebyg yn yr ieithoedd Italeg. Y gair Lladin am bump yw *quinque*, ac am bumed *quintus*. O'r olaf y cafwyd yr enw priod Lladin *Quintius*, ond yn Osceg *Puntiis*, ac mewn tafodiaith *Ponties* a geir, ac fe'i derbyniwyd yn enw Lladin yn y ffurf *Pontius*. O gyferbyniadau fel hyn cesglir bod cytsain wefus-yddfol k^u (neu q^u) yn yr iaith Indo-Ewropeg wreiddiol, a bod rhai ieithoedd wedi cadw natur yddfol y gytsain, sef *c*, ac eraill wedi glynu wrth ei natur wefusol a'i throi'n *p*. Ymhellach, gwelsom fod y Gymraeg a'r Wyddeleg wedi colli'r gytsain Indo-Ewropeg *p*. Ond mae tystiolaeth bendant yn y rhan fwyaf o'r ieithoedd a ddisgynnodd o'r Indo-Ewropeg fod y rhifol pump yn yr iaith wreiddiol yn dechrau â'r gytsain *p*—rhyw air fel *penk^ue* neu *penq^ue*. Yr unig ffordd y gellir esbonio'r Lladin *quinque* a'r Gymraeg pymp (yn awr pump) yw trwy ddal eu bod ill dau'n dod o ryw ffurf fel k^uenke^u a honno'n ei thro'n dod o *penk^ue* drwy debygu'r *p* i'r k^u a ddilynai. Cyffelyb esboniad a roir i'r Lladin *coqu-o* a'r Gymraeg pob-af ; rhaid bod y ddwy gytsain hyn yn dod o ddwy hen k^u, ond mae'n sicr taw *p* oedd ar ddechrau'r gair yn gyntaf oll. Wrth fynd heibio, gellir dweud mai o'r gair *coquo* y daeth y gair Lladin *coquina*, a fenthyciwyd i'r Gymraeg yn y ffurf *cegin*. Mae'r cyfnewid cytseiniol uchod yn un nas ceir ymhlith yr ieithoedd Indo-Ewropeg ond yn nisgynyddion yr Italeg a'r Gelteg. Fel yr awgrymwyd eisoes nid yw hyn ond un o nodweddion arbennig y cangenieithoedd hyn, ac am hynny delir bod ryw dro " dafodiaith " Gelt-Italeg. Ond cyn gadael y pwnc dylwn grybwyll bod rhai ysgolheigion bellach yn tueddu'n gryf i wrthod y syniad hwn am " dafod-ieithoedd " cyntefig.

Ni allwn ymdroi'n hwy gyda'r pethau bore hyn er bod llawer o bwyntiau diddorol dros ben y gellid manylu arnynt. Rhaid gorffen y bennod hon drwy grynhoi'r hyn a ddywedwyd eisoes am y Gelteg. Mae'r defnydd-iau sydd gennym i'w hastudio'n dangos bod ei disgyn-yddion i'w rhannu'n dair cangen i ddechrau, sef Goed-eleg, Brythoneg a Galeg. Mae'n ddiau fod y Gelteg gysefin wedi cadw'r gytsain Indo Ewropeg k^u. Fe'i cadwyd hefyd yng Ngoedeleg ac y mae ei holion mewn Gwyddeleg cynnar cyn iddi droi'n ddiweddarach yn c. Eithr fe'i trowyd yn p ym Mrythoneg yn sicr, ac ni chaf-wyd eto brawf pendant na throes yn p yng Ngaleg hefyd. Mae'n dra thebyg bod y ffaith mai Galeg oedd iaith Ffrainc cyn iddi ddysgu Lladin wedi effeithio tipyn ar y modd y datblygodd Lladin y wlad honno'n Ffrangeg. Ond nid disgynnydd Galeg yw'r Ffrangeg. Datblygodd Goedeleg yn Wyddeleg yn nhreigl y canrifoedd, a phery'r Wyddeleg hyd eto'n fyw yn Iwerddon. Cludwyd yr iaith yn gynnar i'r Alban ac i Ynys Manaw gan filwyr a saint y wlad honno. O'r Frythoneg y tarddodd y Gernyweg, y Llydaweg a'r Gymraeg. Ceisiwn weld yn y bennod nesaf sut y bu hynny.

Y FRYTHONEG

O'R cyfandir y dygwyd iaith Gelteg i'r ynysoedd
hyn. Fe rown lonydd yma i broblem y ffyrdd a'r
" amserau a'r prydiau." Mae'n sicr i bobl o iaith Gelt-
aidd ddod drosodd mewn dau gyfnod go bell oddi wrth
ei gilydd. Y cyntaf ohonynt oedd y rhai y rhoddir yr
enw Goedeleg i'w hiaith, a gynrychiolir yn awr, fel y
dywedwyd, gan yr Wyddeleg, Gaeleg a Manaweg. Ym
mhen rhai canrifoedd ar eu hôl hwy, efallai tua'r bed-
waredd neu'r drydedd ganrif cyn Crist, daeth mintei-
oedd eraill o bobl Geltaidd eu hiaith drosodd ac ymsef-
ydlu ym Mhrydain. Yr oedd yma drigolion o'u blaen
hwy wrth gwrs, ond yr oedd y Celtiaid hyn yn drech
ymladdwyr na hwy, a safon eu gwareiddiad dipyn yn
uwch. Rhwng popeth, felly, nid rhyfedd iddynt ddod
yn ben ar y wlad. Mae'n sicr hefyd eu bod wedi cadw
cysylltiadau gweddol agos a chyson â'r Celtiaid agosaf
atynt ar y cyfandir, yn arbennig yng Ngâl. Dengys
enwau rhai o'r llwythau ym Mhrydain eu perthynas agos
â Cheltiaid Gâl. Er enghraifft yr oedd llwyth o'r enw
Belgae ym Mhrydain ac yng Ngâl. Yr oedd Parisi'n
trigo mewn rhan o'r Sir Gaerefrog bresennol, a Parisii
oedd enw'r llwyth a drigai yng Ngâl yn y rhan lle y mae
Paris heddiw. Llwyth arall a geir yn y ddwy wlad oedd
yr Atrebates, a roes ei henw i Arras a ddaeth yn bur
hysbys i ni yn ystod y rhyfel. Un o'r enwau cyffredinol
a ddefnyddid am Geltiaid yr ail ymfudiad hwn ym
Mhrydain oedd Brittones, a disgynnydd ffurf felly yn
Gymraeg yw Brython. Iaith y bobl hyn yw'r iaith y
rhoir yr enw Brythoneg iddi.

Fel y dywedwyd yn y bennod gyntaf, prin iawn yw'r
gweddillion sydd gennym i'w hastudio. Ni cheir ond
enwau priod ar leoedd a phobloedd a phersonau, wedi eu
cadw mewn arysgrifiau ac ysgrifeniadau Lladin, ac

ychydig enwau cyffredin a gofnodwyd mewn ysgrifen-
iadau Groeg a Lladin o waith teithwyr a haneswyr. Mae'r
rhain yn help i ddeall rhai o'r cyfnewidiadau a ddig-
wyddodd yn seiniau'r iaith o'i chymharu ag ieithoedd
eraill o'r un tylwyth. Er enghraifft mewn rhestr o
enwau lleoedd a geir mewn nifer o " deithiau " a sgrifen-
nwyd (yn Lladin) tua'r bedwaredd ganrif—yr *Itinerarium
Antonini*—ceir ar y daith o'r Wal Rufeinig i Portus
Ritupis, sef Richborough, yr enw Pennocrucio, ffurf ar
Pennocrucium. Gair cyfansawdd ydyw o'r elfennau
penno- a *crucium*. Ceir y flaenaf o hyd yn y Gymraeg *pen*,
a gwelsom mai *cenn* oedd y ffurf Hen Wyddeleg. Felly
dyma ddangos mewn enw Brythoneg, er mai ffurf Ladin
sydd arno, fod yr hen gytsain k^u wedi troi'n p. Gwelir
perthynas *cruc-* yn y Gymraeg *crug* " twyn, twmpath."
Yn ddiweddarach ffurf yr enw yn Saesneg oedd Pencric,
erbyn hyn Penkridge yn Sir Stafford. Y lle cyntaf a
enwir ar y daith hon yw Blatobulgio ac awgryma'r
Athro Ifor Williams mai bryn y blodau yw ei ystyr
(*Pedeir Keinc y Mabinogi*, tud. 201-2). Mae'r esboniad
yn bur debyg o fod yn gywir. Yr un gair yw *blato-* a'r
hen air blawd y ffurfiwyd blod-au ohono. Daw'r *aw*
(*o*) Gymraeg o'r *ā* Frythoneg a Chelteg, ond mewn ieith-
oedd eraill *ō* a geir, megis yr Hen Norseg *blōm* a roes
bloom yn Saesneg, neu'r Lladin *flōs* (gyda'r bôn *flōr-*,
flōr-em flōr-is, a fenthyciwyd i'r Cymraeg yn y ffurf *fflur*).
Nid yw hyn ond un o'r enghreifftiau sy'n dangos bod y
llafariad Indo-Ewropeg wreiddiol *ō* wedi troi'n *ā* yng
Nghelteg. Yng ngwaith Claudios Ptolemaios y daear-
yddwr, tua'r flwyddyn 150, ceir lle o'r enw Rigodounon
mewn orgraff Roeg, yn Lladin Rigodunum, yn rhywle
yng ngogledd Lloegr. Cawsom y gair *dun-* eisoes ;
arhosodd *rigo-* yn y Cymraeg *rhi* " brenin," Gwyddeleg
rí. Cymar Lladin yr olaf yw *rēx*, a phrofir drwy gym-
haru ieithoedd eraill mai *ē* sy wreiddiol yn y gair.
Gwelir felly fod *ē* Indo-Ewropeg wreiddiol wedi troi'n
ī mewn Celteg (a Brythoneg).

Dywedwyd yn y bennod gyntaf (td. 12) fod y Frython-
eg ar yr un safon o ddatblygiad â'r Lladin. Yr oedd
felly'n llawer mwy cymhleth a chywrain ei ffurfiau na'r
ieithoedd a ddeilliodd ohoni. Ni ellir dyfynnu engh-
reifftiau i ddangos hyn, fel y gellir yn Lladin, gan na
thraddodwyd i ni ddim wedi ei sgrifennu na'i gerfio yn y
Frythoneg, mwy nag yng Ngoedeleg. Yr unig beth sy'n
bosibl i ni ydyw gweithio'n ôl o ffurfiau'r ieithoedd byw,
a chymharu a phrofi'n fanwl bob cam o'r ffordd. Bydd
enghraifft efallai'n help i roi rhyw syniad o'r hyn a
feddylir. Cymerer y gair Cymraeg *bardd*. Nid oes
iddo ond dwy ffurf, sef *bardd* i olygu un a *beirdd* i olygu
mwy nag un. Nid oes dim yn y naill ffurf na'r llall i
nodi'r gwahanol gyflyrau y gall y gair fod ynddynt mewn
brawddeg. Pan ddywedir " Canodd y bardd awdl,"
mae'r gair *bardd* yn y cyflwr enwol, ef yw goddrych y ferf
canodd, ef sy'n gwneud y weithred. Gall fod yn wrthrych
y ferf, megis pan ddywedir " Gwelaf y bardd," ond yr un
yw ffurf y gair. Pan soniwn am rywbeth sy'n eiddo'r
bardd y mae'r gair yn y cyflwr genidol, megis yn y
frawddeg " Darllenais awdl y bardd." Gallwn roi'r
ffurf *beirdd* yn unrhyw un o'r brawddegau uchod, ond
newidir yr ystyr. Yn awr nid felly yr oedd yn y Fryth-
oneg. Yn y frawddeg gyntaf a roddwyd, y ffurf Fryth-
oneg fyddai *bardos*, yn yr ail *bardon*, ac yn y drydedd *bardī*,
a'r ffurfiau Lladin cyfatebol fyddai *bardus*, *bardum*, *bardī*.
Yn y lluosog ar y llaw arall ceid *bardī* (o *bardoi*),
bardūs (o'r ffurf hŷn *bardōns*), *bardon* (o'r ffurf hŷn *bardōm*)
yn y tair brawddeg. Byddai'r ffurfiau'n wahanol eto
pan fynnid sôn am ddau fardd, yn ddiau, canys yr oedd
nid yn unig rif unigol a lluosog, ond rhif deuol hefyd yn y
Frythoneg. Nid yw'r rhain ond rhai o'r cyfnewidiadau
a allai ddigwydd i enw mewn brawddeg, ond y maent yn
ddigon i roi syniad am ffurfdroadau'r iaith. Yr oedd
cyffelyb gyfnewidiadau i'r ansoddair hefyd, a gallai
hwnnw amrywio'n ychwanegol i ddangos tair cenedl, sef
gwrywaidd, benywaidd a diryw—er enghraifft *trumbos*

trumba trumbon ("trwm, trom"). Yr ydym yn dal i newid ffurf rhai ansoddeiriau i nodi dwy genedl a dau rif yn Gymraeg. Ychydig iawn a allwn ei wybod i sicrwydd am ffurfdroadau'r ferf yn y Frythoneg, gan na throsglwyddwyd cymaint ag un ffurf ferfol o'r iaith honno i ni. Gwaith go beryglus hefyd yw ceisio olrhain y ffurfdroadau hynny'n ôl o'r ieithoedd byw gan gymaint o newid a fu.

Mae'n bryd inni sôn am un peth pwysig iawn na ddylid ei anghofio wrth ymdrin â datblygiad iaith. Hyd yma buom yn sôn am un neu fwy o ieithoedd yn tyfu allan o ryw famiaith, ac yr oedd hynny wrth gwrs yn ddigon cywir a phriodol. Rhaid inni gofio hefyd fod gan ieithoedd eraill ddylanwad ar iaith, oherwydd y duedd gyffredin a naturiol sydd gan bob iaith bron i fenthyca ar ieithoedd eraill, rhai ohonynt yn perthyn iddi ac eraill yn gwbl estron. Fe gawn weld hyn yn ddigon amlwg ymhellach ymlaen yn hanes yr iaith Gymraeg. Yn eu hymfudiadau daeth y Celtiaid—defnyddiaf y term hwn am bobl a *siaradai iaith* Gelteg—i wrthdrawiad neu i gyfathrach â phobl eraill o'r tylwyth Indo-Ewropeg (o ran iaith), ac mae'n sicr â phobl nad oedd eu hiaith yn perthyn i'r tylwyth hwnnw o gwbl. Canlyniad hynny'n ddiau oedd eu bod yn benthyca geiriau ar y bobl hynny, a'r rheini hefyd wrth gwrs yn benthyca arnynt hwy. Gwyddom am ddau air Celteg a fenthyciwyd mewn cyfnod bore iawn gan y Tewtoniaid. Yr hynaf ohonynt oedd y gair am frenin, sef *rīg-s*, a roes y gair *rhi* yn Gymraeg. Mewn Gotheg cymerth y ffurf *reiks* (h.y. *rīcs*), a dengys y sain *ī* (a lythrennir *ei*) mai benthyciad yw yn yr iaith Dewtonaidd hon. Gwelsom mai *ē* oedd yn y gair i ddechrau, a chadwyd honno yn y Lladin *rēx*. Buasai *ē* wreiddiol wedi troi'n *ā* mewn Tewtoneg. Felly cesglir mai o'r Gelteg y cymerwyd y gair i'r Dewtoneg. O'r gair hwn am frenin, ffurfiwyd mewn Tewtoneg air am frenhiniaeth, ac y mae'r gair hwnnw'n fyw hyd heddiw yn yr Almaeneg *Reich*

18

" gwladwriaeth." Benthyciwyd y llall mewn cyfnod diweddarach, ond eto'n dra chynnar. Dyry awduron Lladin megis Iwl Cesar y gair Galeg *ambactus* a olygai was neu ddyn dan nawdd rhyw ŵr mawr. Erbyn cyfnod yr Hen Uchel Almaeneg troes yn *ambaht*, ac yn nhreigl amser ceir yr enw Almaeneg am swydd neu swyddfa, *Amt*, yn dod ohono. Yn wir nid hyn yw diwedd diddordeb y gair hwn. Fe'i mabwysiadwyd hefyd mewn Lladin diweddar, ac o un o'r geiriau a luniwyd ohono daeth gair Sbaeneg a lithrodd drwy'r Ffrangeg i'r Saesneg, ac erbyn heddiw *ambassador* ydyw ei ffurf. Ei gynrychiolydd Cymraeg yw amaeth, sef ffermwr.

Nid yw'n gwybodaeth o'r Hen Gelteg yn ddigon manwl i'n galluogi i wybod maint ei dyled hi i ieithoedd eraill. Nid yw hynny o gymaint pwys yn hanes yr iaith ar y cyfandir efallai, oherwydd iddi farw yno. Ond byddai'n werthfawr dros ben pe gwypem faint a fenthyciodd y Frythoneg ar ieithoedd eraill yn yr ynys hon. Hyd yn hyn benthyca geiriau yn unig a fu dan sylw. Dyna'r benthyca hawsaf oll wrth gwrs, ac y mae gwybod y geiriau a fenthycir yn help mawr i'r hanesydd gwleidyddol a chymdeithasol, o drin y wybodaeth honno'n ofalus. Gallant ddangos y berthynas rhwng y benthycwyr a'r rhoddwyr, a natur y gyfathrach rhwng pobl a'i gilydd. Ond y maent yn ychwanegu llawer at ddryswch y broblem a astudir gan yr hanesydd iaith, yn arbennig pan fo'i ddefnydd yn mynd yn ôl i'r cyfnod hwnnw cyn gwawr hanes pan nad oes ganddo ddim tystiolaeth weledig o gyflwr yr iaith. Cymerer un enghraifft o gyfnewidiad ar lafar a ddigwyddodd yn y blynyddoedd diwethaf hyn. Mae tŷ yn y wlad heb fod ymhell o Landeilo, ac os gofynnwch i rywun wrth fynd heibio iddo beth yw ei enw yr ateb a glywch yw " Safói." Fe gymerech yn ddiau mai Savoy fyddai hynny " mewn dillad parch," ac efallai yr arweiniai'r apêl at hanes chwi i'r Eidal i chwilio am esboniad. Ar gyfeiliorn yr aech, fel aml un a apeliodd at hanes o'ch blaen. Nid

yw Safoi ond gweddillion Cymraeg y gair Saesneg
reservoir canys yr enw a roes Cyngor Llandeilo ar y tŷ
yw *Reservoir Cottage* am fod cysylltiad rhyngddo a gwaith
dŵr y dref sydd yn agos iddo. Ei hen enw, cyn i'r
Gwareiddiad Dinesig gael gafael arno, oedd Maesifan
Fach. Mae hon yn wers ddifrifol i'r geirdarddwr ac i'r
esboniwr enwau lleoedd yn arbennig. Meddyliwch am
gyfnewidiad fel hyn wedi digwydd gannoedd o flynydd-
oedd yn ôl, heb ddim wedi aros ar gof a chadw ond yr
enw rhyfedd Safoi mewn ardal mor drwyadl Gymraeg â
honno, er gwaethaf yr awdurdodau a roes y fath enw ar
y lle. Byddai bron yn gwbl amhosibl i chwi daro ar yr
esboniad iawn ar y ffurf a drosglwyddwyd. Ni wyddom
faint o bethau tebyg i hyn a ddigwyddodd yn hanes y
Frythoneg.

Ond nid geiriau yn unig a fenthycir. Gall un iaith
gymryd rhyw ddull o ymadroddi o iaith arall hefyd,
hynny yw, gellir benthyca cystrawen. Fe welir hyn o
hyd yn digwydd, pan fo modd gweld y cyfnewidiad ar
droed a phan fo cystrawen yr ieithoedd yn weddol hysbys
a chyfarwydd. Eithr ni wyddom ddim am gystrawen
yr iaith Frythoneg, ac felly ni allwn ddweud dim yn
bendant i ba raddau yr oedd yn bur, neu a ddylanwad-
wyd arni o gwbl gan gystrawen rhyw iaith arall. Gwydd-
om fod iaith ar yr ynys hon gan y rhai oedd yn byw yma
cyn i'r Brythoniaid ymsefydlu yma. Daeth y Brython-
iaid yn ben ar y rheini, a diau iddynt beri yn y diwedd
i'r rheini ddysgu'r iaith newydd, sef iaith eu meistriaid.
Sut bynnag am hynny, mae'n gwybodaeth am y pethau
hyn mor gyfyng fel na thâl i ni dreulio rhagor o amser i
ddyfalu yn eu cylch. Yr ydym yn eu nodi er rhybudd
nad edau sengl, fel petai, yr ydym yn ei thrafod.

Un peth pwysig y mae'n rhaid ei gofio yw bod yr iaith
Frythoneg yn iaith " swyddogol " yn y cyfnod yr ydym
yn sôn amdano. Hi ydoedd iaith y llywodraethwyr ac
iaith diwylliant y wlad. Ynddi hi y canai'r bardd a hi
oedd iaith crefydd y llwythau Brythonig. Rhoddai hyn

oll urddas arni, a rhaid cofio nad anwariaid oedd y bobl a'i siaradai hi. Ond nid pendefigion yn unig a'i harferai, siaredid hi hefyd gan y bobl gyffredin. Hi ydoedd cyfrwng mynegiant y Brythoniaid yn eu holl ymdrafod beunyddiol â'i gilydd. Yn y cysylltiadau olaf hyn, efallai, yr oedd y cyfle rhwyddaf i fenthyciadau o iaith neu ieithoedd hŷn yn yr ynys ddod i mewn iddi. Gwyddom hefyd fod mwy nag un llwyth o Frythoniaid yn byw yn y wlad, a bod y rheini i gryn raddau'n annibynnol ar ei gilydd ac yn ddiau'n aml yn cweryla ac yn ymladd â'i gilydd. Ni ellir gwybod a oedd gwahaniaeth o gwbl rhwng iaith pob un o'r llwythau hyn a'i gilydd pan groesasant y môr i Brydain, nac ychwaith i ba raddau y parodd y pellter a oedd rhwng rhai ohonynt ac eraill, o dde i ogledd ac o ddwyrain i orllewin, i wahaniaethau dyfu rhwng yr iaith lafar a siaradent. Ond sut bynnag am hynny, nid yw'n debyg i ddim byd ddigwydd am ryw ddwy ganrif o leiaf i amharu pwysigrwydd a safle'r Frythoneg fel iaith " swyddogol " y Brythoniaid.

Yn ystod y cyfnod hwn o annibyniaeth yr oedd mynych gyfathrachu rhwng y Brythoniaid a thrigolion Gâl gyferbyn â hwy. Tua chanol y ganrif gyntaf cyn Crist goresgynnwyd y rheini gan allu newydd Rhufain, ac fel y gwyddom ymwelodd Iwl Cesar â'r ynys hon ddwy waith y pryd hynny. Ychydig iawn a effeithiodd ei ymweliadau ar fywyd y trigolion, ond rhyngddynt hwy a'r rhyfel yng Ngâl daeth iaith Rhufain, sef Lladin, yn hysbys ddigon. Ymhen tua chanrif ar ôl ymweliad Iwl Cesar daeth y Rhufeiniaid drachefn i Ynys Prydain, y tro hwn i goncro'r ynys a'i gwneud yn rhan o Ymerodraeth Rhufain. Ni pherthyn i ni fanylu ar y goncwest honno er mor ddiddorol fyddai hynny. Digon yw dweud i Brydain fod am ryw dair canrif a hanner yn dalaith Rufeinig. Rhufeiniwyd cryn lawer arni yn ystod y cyfnod hwnnw, er nad i gyffelyb raddau ym mhob rhan o'r dalaith. Yr hyn sy'n bwysig i'n hastudiaeth ni yw bod y Lladin yn awr yn disodli'r hen Frythoneg fel iaith

swyddogol y wlad. Hi ydoedd iaith y fyddin a'r llyw-
odraeth. Gydag amser hefyd daeth yn gyfrwng llafar
beunyddiol dros ran helaeth o ddeau a dwyrain yr ynys.
Yr oedd awdurdod yr ymerodraeth yn sicrach yn y rhan
honno, a'r goncwest yn naturiol yn llwyrach nac ym
mhellterau'r gogledd a'r gorllewin, lle na pheidiodd yr
hen drigolion am gryn amser ag ymladd yn erbyn bydd-
inoedd Rhufain. Yn y deau a'r dwyrain felly yr oedd
bywyd yn fwy heddychlon, ac yr oedd yr heddwch a'r
sicrwydd bywyd a'i dilynai yn help mawr i ddenu hen
drigolion y rhan honno o'r wlad i dderbyn dull yr ymer-
odraeth o fyw ac i gyfranogi o'r bendithion diamheuol a
allai Rhufain eu hestyn iddynt. At hynny plennid
sefydliadau o hen filwyr y fyddin ar y tir, a daeth y
rheini'n drefi pwysig. Parhâi'r rhain yn ffyddlon i'r
ymerodraeth, a Lladin ydoedd eu hiaith. Rhoddid
iddynt freintiau arbennig gan yr ymerodraeth, canys
gwyddai'r llywodraeth drwy brofiad eu bod yn gyfrwng
neilltuol o gryf at roi sicrwydd i'w hawdurdod a pheri i
ddiwylliant neu wareiddiad yr ymerodraeth gymryd
daear a lledu. Yr oedd de a dwyrain yr ynys wedi eu
rhufeinio bron mor llwyr â Gâl, a phe cawsai'r rhan hon
o'r ynys lonydd i fyw yn ei ffordd ei hun heb ymosod-
iadau o'r tu allan, buasai iaith y rhan honno o Loegr
heddiw'n ffurf ddatblygedig o Ladin, fel y Ffrangeg yn
Ffrainc. Mae'n fwy na thebyg fod y Frythoneg wedi ei
llwyr ddisodli gan y Lladin yn neau a dwyrain Prydain,
a siarad yn fras, y tu draw i linell o Gaerwysg (neu Exeter)
i Gaerefrog, erbyn diwedd y bedwaredd ganrif.

Yr ochr arall i'r llinell honno yr oedd yn bur wahanol.
Nid yr un oedd y wlad. Ucheldiroedd sydd yno, nid
gwastadeddau blin. Yr oedd y bobl hefyd yn fwy an-
hydrin, yn chwanocach i ymladd ac yn amharotach i
ymostwng i lywodraeth estron. Nid oedd yma drefi
prysur a blodeuog na llawer o dai gwŷr mawr yn es-
mwyth dorheulo yn Heddwch Rhufain. Gwersylloedd
oedd gan yr ymerodraeth yma, gan mwyaf, a'r hen dri-

golion o'u cwmpas weithiau'n dawel ac weithiau'n ymladd yn erbyn y Rhufeiniwr. Nid oedd cystal cyfle i ddiwylliant Rhufain lifo dros y parthau hyn o'r wlad, felly cedwid yr hen ddull o fyw, ac o ganlyniad iaith yr hen ddull hwnnw a'r hen arferion a'r hen syniadau. Nid eu cadw heb eu newid chwaith, ac yn sicr nid cadw'r hen iaith yn ddi-lwgr. Yn yr ysbeidiau o dawelwch byddai llawer o drafodaeth feunyddiol rhwng y gwersylloedd a phobl y wlad o gwmpas, ac nid oes amheuaeth na byddai llawer o fechgyn yr hen drigolion yn listio dan faner yr Ymerodraeth. Pan oedd gallu Rhufain ar ei gryfaf yn eu mysg prin y gallent beidio â theimlo'i bod hi'n fwy lawer na hwy ac efallai'n well, oblegid yn y pen draw bob tro ganddi hi yr oedd yr awdurdod, a byddai ar ei heithaf bob amser yn eu cadw hwy dan law. Yr oedd y gwersylloedd a'r gorsafoedd milwrol yn dystion huawdl nad oedd yr hen drigolion mwyach yn annibynnol, er efallai na phwysai iau Rhufain yn drwm arnynt. Felly, er cymaint o gyfle oedd ganddynt i lynu wrth eu hen arferion a chadw'u hen iaith, yr oedd yn amhosibl iddynt gadw popeth Rhufeinig draw heb dderbyn llawer iawn ohonynt. Os oeddynt am fasnachu â'r Rhufeiniwr ni byddai lawer o lewych ar y drafnidiaeth heb ryw gymaint o Ladin. Dwg hyn ar gof gais a ddaeth at gyfarwyddwr addysg un o siroedd Cymru'n ddiweddar oddi wrth ffermwyr un o ardaloedd hollol Saesneg y sir am ddosbarth i ddysgu Cymraeg, am eu bod yn credu bod y ffermwyr o ardaloedd Cymraeg y sir yn eu curo bob cynnig yn y farchnad gyfagos. Ac os oedd neb am wella'i stad, mewn gwlad neu fyddin, yr oedd yn rhaid wrth Ladin. Gellir deall yn hawdd ganlyniad hyn ymhlith hen deuluoedd bonheddig y Brythoniaid.

Er bod parthau'r gogledd a'r gorllewin heb eu llwyr rufeinio felly, ac er bod yr hen iaith yn dal ei gafael, yr oedd un peth pwysig wedi digwydd i beri iddi hi newid yn ddirfawr. Sef oedd hynny, peidiodd â bod yn "swyddogol." Nid hi bellach oedd iaith y gymdeithas

uchaf yn y wlad, ac felly collodd ei hurddas. Gwelsom
eisoes fod y dorau'n agor i dderbyn i mewn iddi o leiaf
eiriau o'r Lladin, hyd yn oed ymhlith y bobl gyffredin.
Prin y mae angen ymhelaethu ar bwysigrwydd ymlyniad
arweinwyr y bobl wrth eu hiaith at ei chadw'n hoyw a
rhywiog. Yr oedd yr ymlyniad hwn yn sicr o fod wedi
ei wanhau i raddau helaeth ymysg Brythoniaid y gog-
ledd a'r gorllewin yn y cyfnod Rhufeinig. Felly nid
oedd dim i'w ddisgwyl ond dirywiad, ac y mae'n weddol
sicr pe gallasai'r ymerodraeth ddal ati i ddwysáu ei
gafael ar y rhannau hynny y buasai'r hen drigolion, fel
eu perthnasau yn y rhan arall o Brydain ac yng Ngâl,
wedi dysgu Lladin o ryw fath ar draul colli eu hen iaith.
At hynny yr oedd cyfnewidiad pwysig arall ar droed yn
ystod y cyfnod hwn, er bod ein gwybodaeth amdano yn
niwlog dros ben. Mae'n sicr taw dyma'r pryd y daeth
Cristnogaeth i Brydain. Yr oedd ei lledaeniad hi'n
golygu gwanhau awdurdod offeiriaid yr hen grefydd neu
grefyddau, ac yn y diwedd ei lwyr ddileu. Os treidd-
iodd hi i'r gogledd a'r gorllewin i blith yr hen drigolion
yn y cyfnod Rhufeinig, ni allai hynny lai nag effeithio'n
ddirfawr ar eu hiaith hwy. Gwyddom fod yr hen gref-
yddau i raddau helaeth yn cadw llawer o hen ddulliau
iaith yn ddi-lwgr, am fod traddodiad yn cymryd rhan
mor helaeth ynddynt. A thraddodiad fel hwn oedd un
o'r pethau a wanhawyd pan beidiodd y Frythoneg â
bod yn gyfrwng mynegiant swyddogol y bobl.

Yr oedd i'r Frythoneg, gan hynny, ddigon o gyfle i
farw o ganol y ganrif gyntaf o'r cyfnod Cristnogol i
ddechrau'r bumed yng ngogledd a gorllewin yr ynys.
Gwyddom na bu farw, canys mae ei phlant yn fyw hyd
heddiw. Peidiodd Prydain â bod yn dalaith Rufeinig
yn nechrau'r bumed ganrif. Arweiniodd hynny i
dryblith aruthrol yn hanes yr ynys. Taflwyd y trigolion
ar eu hadnoddau eu hunain i wrthwynebu gelynion
newydd a oedd bellach yn chwennych ymsefydlu ynddi.
Daeth y rhain eto dros y môr o gyfandir Ewrop, Tewton-

iaid y tro hwn. Nid oes a fynnom ni ryw lawer â'u helyntion hwy yn neau a dwyrain Prydain, canys gwelsom mai Lladin bellach oedd iaith y rhan honno. Ond yr oedd eu gwaith yn goresgyn y rhan honno i effeithio'n drwm ar yr hanner arall hefyd, wrth gwrs, ymhen amser. Daethant yn eu tro i ogledd yr ynys, neu o leiaf i ogledd Lloegr, yn erbyn pobl y gallwn fod yn weddol sicr nad oeddynt wedi eu llwyr rufeinio. Bu raid i'r Brythoniaid hyn eu gwrthwynebu orau y gallent. Dysgir inni eu bod wedi ceisio parhau'r dulliau a fuasai gan y Rhufeinwyr eu hunain yn erbyn yr estroniaid hyn. Nid dros y môr yn unig y deuai ymosodwyr ar ogledd yr hen dalaith Rufeinig chwaith, ond hefyd o'r Alban, dros y Wal Rufeinig. Gwyddyl a Ffichtiaid oedd y rheini. Soniasom eisoes am y Gwyddyl, neu o leiaf am eu hiaith. Mae problem y Ffichtiaid a'u hiaith yn rhy ddyrys i ni i ymboeni â hi yma, ac felly fe'i gadawn. Buont yn ddraen yn ystlys y Rhufeinwyr, a pharhasant yn hir yn faich ar y Brythoniaid wedi i'r Rhufeinwyr ymadael. Y Brythoniaid eu hunain mwyach oedd i amddiffyn y wlad yn erbyn yr estroniaid rhyfelgar hyn. Yr oedd arweinwyr wedi eu magu yn ystod y cyfnod Rhufeinig, disgynyddion hen deuluoedd pendefigaidd Brythonig yn ddiau. Dangosir hyn gan yr enwau a welir yn ach un gŵr o Frython y bu iddo bwysigrwydd mawr ym myd y Brythoniaid wedi i'r Ymerodraeth Rufeinig ddod i ben. Hwnnw oedd Cunedda. Yn ôl copi o hen ach y bernir ei roi ynghyd yn y ddegfed ganrif, er bod y copi ei hun tua dwy ganrif yn ddiweddarach, enw ei dad oedd Ætern (Edern), a thad hwnnw Patern Pesrut (Padarn Beisrudd) a thad hwnnw Tacit (Tegid). O'r Lladin Æternus, Paternus, a Tacitus y daw'r rhain. Eto ffurf y ddegfed ganrif ar enwau rhai o feibion Cunedda oedd Rumaun (Rhufawn), Dunaut (Dunawd), Meriaun (Meiriawn). Lladin yw'r rhain eto, Romanus, Donatus, a Marianus— y ddau olaf yn enwau Cristnogol pendant. Mae'n deg casglu oddi wrth enwau fel hyn i'r teulu hwn yfed yn helaeth o'r bywyd Rhufeinig.

Bu raid i'r arweinwyr hyn gymryd yr awenau i'w dwylo yn awr, ond ar y Brythoniaid yn unig y gallent alw bellach am gymorth a chefnogaeth. Yr oedd gallu ac awdurdod yr Ymerodraeth wedi pallu, a chafodd y Brythoniaid eto'n ôl eu hannibyniaeth betrus. Daethant i'r adwy fel yr oeddynt, megis, a'u hiaith bob dydd gyda hwy. Nid Brythoneg urddasol y ganrif gyntaf cyn Crist ydoedd erbyn hyn, ond Brythoneg a fuasai drwy bedair canrif o ddibristod a diystyrwch. Eithr nid oedd amser i boeni am " orgraff a chystrawen," i gweryla am gywirdeb ffurfiau lluosog, a chwilio beth a ddywedid bum canrif ynghynt. Yr oedd yn rhaid ei chymryd fel yr oedd, am ei bod yn digwydd bod yn fyw, ei gogoniant pennaf ar y pryd. Nid oedd iaith arall yn y " wladwriaeth " newydd a allai gystadlu'n hwylus iawn â hi, am ei bod hi unwaith eto yn adennill yr urddas hwnnw a gaiff iaith pan fydd awdurdod a llywodraeth yn llefaru drwyddi hi. Yr ydym yn awr wedi cyrraedd yr amser pan allwn yn hyderus ddisgwyl gweld yr iaith Gymraeg.

ADFEILIAD Y FRYTHONEG

NA thybied y darllenydd y byddai anawsterau astud-
io tarddiad a datblygiad yr iaith Gymraeg yn
diflannu'n llwyr pe darganfyddid yn sydyn gorff o len-
yddiaeth Frythoneg gymaint, dyweder, â llenyddiaeth
Ladin. Er mai o'r Lladin y deilliodd y Ffrangeg nid yw
hanes pob gair Lladin sydd yn y Ffrangeg yn gwbl glir.
Y rheswm am hynny'n aml yw mai ffurf lyfr y gair Lladin
sy gennym, ac nid y ffurf lafar honno y newidiwyd cym-
aint arni ar ei ffordd i'r Ffrangeg. Nid oes eisiau oedi i
ddangos y gwahaniaeth mawr sydd rhwng yr iaith lafar
a'r iaith lyfr. Gwyddom yn dda iawn amdano yng
Nghymru, ac y mae'n ddigon amlwg hefyd yn Lloegr
hyd yn oed yn y cylchoedd uchaf, ym mhlith y bobl fwyaf
dysgedig. Bu'r iaith lyfr erioed yn geidwadol, a chyn-
dyn iawn yw i newid mewn unrhyw fodd. Mae'r
stori'n wahanol gyda'r iaith lafar. Mae newid yn
llawer haws yn hanes hon, ond cofier mai araf iawn yw
pob newid ynddi hithau. Gyda'r iaith lyfr, mae patrwm
wedi ei osod o'n blaen, mae gennym safon i'w ddilyn, na
fynnwn yn rhwydd a difeddwl ymadael â hi. Adlew-
yrchir y safon hon i ryw raddau wrth gwrs yn yr iaith
bob dydd, ond yma ni chlywir pwysau traddodiad cym-
deithas mor drwm ag y gwneir gyda'r iaith safonol, iaith
ddillad parch y gymdeithas. Rhaid cofio hefyd fod un
ystyriaeth bwysig iawn yn llestair rhyw ormod o rhysedd o
newid yn yr iaith bob dydd, yn ei gwedd " ddillad
gwaith " yn ogystal â'i gwedd " ddillad diwetydd." A
hynny yw'r angen am gael pobl i ddeall ei gilydd wrth
siarad. Mae'r ystyriaeth hon wrth gwrs yn gweithio
mewn dwy ffordd. Gall fod o blaid cadw hen ffurf neu
hen ddull yn hytrach na derbyn y peth newydd. Ar y
llaw arall bu hefyd yn help i sefydlu'r newydd ar draul
gollwng yr hen pan fo defnyddioldeb yr hen at eglurder a

dealltwriaeth wedi pallu neu wedi mynd yn amheus. Ond i ba gyfeiriad bynnag y gweithia'r angen hwn am allu deall, ei effaith ydyw peri arafwch wrth gyfnewid. Felly wrth fwrw golwg dros y cyfnewidiadau a ddigwyddodd i beri i'r Gymraeg dyfu o'r Frythoneg, rhaid i ni gofio mai tyfiant graddol ydyw, a bod yn rhaid wrth gyfnod hir o newid araf rhwng yr hen ffurf a'r ffurf newydd. Yn yr iaith lafar y gwelir diwedd y cyfnewidiad orau, ac yn aml iawn ynddi hi'n unig y gwelir ef, am fod yr iaith lyfr safonol yn rhy geidwadol i'w gydnabod. Yr enghraifft orau o hyn efallai yw ffurfiau trydydd person lluosog y ferf. Fe ddywedwn ar lafar ffurf fel *cwynan*, eithr gofalwn am sgrifennu *cwynant* hyd heddiw. Mae tystiolaeth bendant serch hynny fod *cwynan* i'w gael yn y ddeuddegfed ganrif, canys odla gyda geiriau fel *tarian* mewn cerdd a ysgrifennwyd yn niwedd y ganrif honno yn Llyfr Du Caerfyrddin. Nid hi yw'r unig ffurf gyffelyb a ddigwydd yn y llawysgrif honno, fel na ellir dal mai damwain ydyw. Fel y dywedwyd, y ffurfiau yn -*n* sy'n fyw ar lafar yn ddieithriad, ond cadwodd yr iaith lyfr hyd heddiw yr hen ffurf farw. Gwyddom fod y cyfnewidiad o *nt* i *n* wedi ei wneud erbyn diwedd y ddeuddegfed ganrif, ond mae'n sicr ei fod yn bod ar lafar am amser maith cyn hynny er nas cydnabuwyd yn yr iaith safonol.

Y cwbl a wnawn yma yw sôn am rai o'r prif gyfnewidiadau a ddigwyddodd pan droes y Frythoneg yn Gymraeg. Nid awn i fanylu ar yr achosion a barodd y cyfnewidiadau hyn, beth sy'n peri bod un sain yn troi'n sain arall. Mae'r achosion hynny wrth gwrs yn aml ac yn bwysig. Arweiniant ni i astudio'r modd y cynhyrchir seiniau ac i fyfyrio uwchben y gwahanol beiriannau llafar. Mae hynny'n wyddor ar ei phen ei hun, ac yn un ddiddorol iawn hefyd. Fe gyfeiriwn yma a thraw at rai pwyntiau ynglŷn â hi wrth fynd heibio. Ond rhaid sôn am un elfen mewn iaith sydd yn fwy cyfrifol na dim arall, efallai, am y dinistr a ddigwyddodd i'r Frythoneg. Yn wreiddiol yr oedd i lafariad pob sillaf dôn a mesur. Gallai sillaf felly fod yn hir neu'n fer yn ôl hyd ei llafariad, lle bynnag y byddai yn y gair. Yr oedd un o'r sillafau'n bwysicach na'r lleill yn y gair, ac felly yr oedd ei thôn yn uwch na'r rheini, hynny yw, codid y llais arni hi. Ond newidiwyd y dull hwn o gynanu drwy daro mwy o bwysau ar y brif sillaf yn lle codi'r llais. Golygai hyn roi mwy o egni, fel petai, ar y brif sillaf, a chanlyniad hynny'n naturiol oedd bod y sillafau eraill yn y gair yn sicr o ddioddef. Yr oedd yn rhaid cynilo yn rhywle er mwyn cael y grym oedd yn ofynnol yn y prif ergyd, yr hyn a elwir yn brif acen. Yng Ngoedeleg yr oedd y brif acen ar sillaf gyntaf y gair syml, a phery felly hyd heddiw yng Ngwyddeleg. Y mae'n sicr nad felly yr oedd ym Mrythoneg, a thebycach bod y brif acen ar y goben, sef y sillaf olaf ond un ynddi hi. Ymddengys fel petai rhai eithriadau, ond ar y cyfan, hyd y gellir barnu wrth ffurfiau'r ieithoedd a dyfodd ohoni, ar y goben yr oedd gan amlaf. Mewn geiriau deusill, felly, acennid gyda phwyslais ar y sillaf gyntaf o'r ddwy, ac ychydig o ergyd a roid i'r sillaf olaf. Eithr ni allwn lefaru'n rhy bendant ar natur a safle'r acen ym Mrythoneg oherwydd prinder ein gwybodaeth ohoni.

Yn awr, soniwyd eisoes am ffurdroadau'r Frythoneg, a bod i'r enw, er enghraifft, amrywiol ffurfiau i ddynodi ei wahanol gyflyrau a'i rifau drwy newid ei derfyniadau. Yn wyneb yr hyn a ddywedwyd uchod, fe welwn nad oedd fawr bwyslais ar y terfyniadau hyn ar lafar. Y canlyniad oedd iddynt ddiflannu, fel y diflannodd y rhai Lladin a'r rhai Hen Saesneg. Felly, os cofia'r darllenydd o hyd mai ffurfiau tybiedig, sydd er hynny'n weddol sicr, yw'r geiriau Brythoneg a roir, gallwn ddweud bod y Brythoneg *bardos* wedi rhoi'r Cymraeg *bardd*, ac felly am y parau canlynol : *mapos mab, catus cad, dūnon din(as), brāter brawd, slougos llu, epālos ebol.* Mae'r un peth yn dal gyda'r ansoddair : *u̯indos gwyn, u̯īros gwir, trumbos trwm, caicos coeg,* a'r rhifolion, megis *oinos un.* Gallwn hefyd ychwanegu enwau cyfansawdd at y rhain, megis *Uindomagus Gwynfa*, *Broccomaglos Brochfael*, *Cunomaglos Cynfael*, *eporēdos* (o *eporeidos*) *ebrwydd*, *dubrosenton dyffryn*. Wrth gymharu'r ffurfiai Cymraeg â'r ffurfiau Brythoneg, mae tri pheth yn ein taro. Gwelwn fod yr hen derfyniadau wedi mynd, fod llafariaid ynghanol rhai o'r geiriau wedi diflannu, a hefyd fod seiniau, yn llafariaid a chytseiniaid, wedi newid.

Gwelsom yn y bennod o'r blaen (td. 16) fod yr Indo-Ewropeg *ō* ac *ā* wedi mynd yn un ym Mrythoneg, a'r Indo-Ewropeg *ē* yn Frythoneg *ī*. Yn y rhestr uchod cawn yr *ā* Frythoneg wedi troi'n *aw* yn *brawd* ac yn *o* yn *ebol*. Deuwn ar draws *ebawl* wrth gwrs, yn wir dyna'r ffurf gyffredin o'r bymthegfed ganrif yn ôl yn ysgrifenedig ac mewn barddoniaeth. Os bydd bardd heddiw wedi disbyddu pob *awl* arall, neu os bydd am gael ebol yn ufudd dan *awl* mewn odl, gall arfer ebawl wrth gwrs yn ddiwarafun. Oherwydd o *aw* y daeth yr *o* sydd yn ebol. Ond rhaid gwybod yr hen ffurf cyn gallu mentro rhoi *aw* yn lle *o* heddiw. Cyfnewidiad arall yw'r Brythoneg *ū* (hynny yw *w̄*) yn rhoi *i* yn Gymraeg, fel yn *dinas*. Gallwn felly gasglu hynt y llafariaid hir fel hyn ; aeth yr Indo-Ewropeg *ā ō*, *ē ī*, *ū* yn Frythoneg *ā*, *ī*, *ū*, ac yn Gymraeg *aw*, *o*, *i*. Trown yn awr at y deuseiniaid neu'r diptoniaid. Tebyg bod yr Indo-Ewropeg *ei* wedi troi'n *ē* mewn Brythoneg, a'r *ē* newydd hon yn troi'n Gymraeg *wy* megis yn y gair *ebrwydd*. Cawn y Brythoneg *oi* yn rhoi *u* megis yn *un*, *ou* (h.y. *ow*) yn rhoi *u* fel yn *llu*, ac *ai* yn rhoi *oe* fel yn *coeg* ; Brythoneg *ai*, *ē* (o *ei*), *oi ou* yn rhoi yn Gymraeg *oe*, *wy*, *u*.

Cyfeiriwyd o'r blaen at rai cyfnewidiadau a ddigwyddodd i'r hen gytseiniaid Indo-Ewropeg. Cafwyd enghreifftiau yn y bennod gyntaf (td. 7) o'r Indo-Ewropeg *k*[u] (neu *q*[u]) yn rhoi *p* Frythoneg, ac arhosodd *p* ar ddechrau gair Cymraeg. Yr oedd yn Indo-Ewropeg gytsain feddal yn cyfateb i honno, sef *g*[u] (neu *gw*). Troes hon yn *b* yng Nghelteg, ac felly *b* a gawn yng Nghymraeg ac yng

Ngwyddeleg. Enghraifft o'r cyfnewidiad yw'r Cymraeg *byw*, Gwyddeleg *beo* ; yn y Lladin *vivus*, ac yn Saesneg *quick*, fel yn *quicksilver* " arian byw," yn *the quick and the dead*, a chymharer torri peth i'r *byw*, " cut it to the *quick*.*" Eto, gwelsom yn y bennod gyntaf (td. 7) enghreifftiau o *s* wreiddiol wedi troi'n *h* yn Gymraeg fel rheol. Nis gwelir mwyach yn y gair *llu* a roddir uchod ; fe'i ceir yn ei berthynas Gwyddeleg *sluagh*. Gellir ychwanegu'r cymariaethau canlynol, gan roi'r gair Gwyddeleg yn ail ym mhob pâr : *mwyar sméar*, *nodwydd snáthad*, *nawf* (nofio) *snámh*. Gwyddys yn dda am y geiriau sy'n dechrau ag *chw-* yn Gymraeg mai *hw-* (*wh-*) neu *w-* a geir yn y De. Digwydd ffurfiau felly yn yr hen lawysgrifau, er enghraifft *hwech* a *whech*, yn ogystal â *chwech* ; yn yr Wyddeleg *sé* yw'r ffurf. O gymharu ffurfiau'r gwahanol ieithoedd cesglir mai rhywbeth fel *sueks* neu *sweks* oedd y ffurf wreiddiol, a chyffelyb oedd y ffurf Frythoneg yn ddiau. Yna troes yr *s* yn *h* yn Gymraeg, a'r *ks* yn *ch* ; felly ceid *hwech*. Parhaodd yr hen ffurf hon yn fyw ar lafar hyd heddiw ; ar y llaw arall aeth yr anadliad caled *h* yn gytsain yddfol laes *ch* o flaen yr *w-* gytsain, ac felly y cafwyd *ch-* yr iaith safonol. Yn wir gellid helaethu'n fawr ar y modd y triniwyd *s* yn yr iaith newydd, ond rhag bod yn anghryno bodlonwn ar gyfeirio at un peth. Rhoes y cyfuniad *sr* ar ddechrau gair *ffr* yn yr ieithoedd Brythoneg ac efallai yng Ngaleg, ond arhosodd *sr* yng Ngwyddeleg. Felly ceir *ffrwd* yn Gymraeg, *froud* (a gynenir yn *ffrwd*) yn Llydaweg, ond *sruth* yng Ngwyddeleg. Dyry'r daearyddwr Ptolemaios yr enw Phroudis (mewn Groeg wrth gwrs—seinier *Ffrwdis*) ar yr afon La Bresle (y saif Le Tréport ar ei haber) yng Ngogledd Ffrainc. Tybir mai camsyniad am *Frutis* (h.y. *Ffrwtis*) ydyw, a bod yr enw yn cynnwys yr un elfen ag a roes *ffrwd* yn Gymraeg. Os felly dyma enghraifft arall o'r berthynas gymharol agos rhwng Brythoneg a Galeg.

Dylid efallai sylwi ar ddwy sain arall, sef y lledlafariaid

u̯ ac *i̯*, neu *u-* gytsain ac *i-* gytsain. Y sain Gymraeg *w*
sydd i'r *u* hon wrth gwrs. Gwelir fod *u̯* Frythoneg wedi
rhoi *gw* yn Gymraeg yn gyson ar ddechrau gair. Yn yr
Wyddeleg *f-* a geir, megis yn y parau gwir *fír*, gwiw *fiú*,
gŵr *fear* (Hen Wyddeleg *fer*), gwlyb *fliuch*. Cadwyd
*i-*gytsain yn Gymraeg, ond diflannodd yn llwyr yng
Ngwyddeleg ; er enghraifft i'r Cymraeg *ieuanc* cyfetyb y
Gwyddeleg *óg* (yn yr hen gyfnod *óac*, a gynenid *óag*).
Mewn un cysylltiad serch hynny rhoes yr *i*-gytsain
Frythoneg *dd* yn Gymraeg, sef ar ôl *i*-lafariad pan fydd-
ai'r acen ar honno. Ceir enghraifft yn y gair *rhydd*, a
ddaeth o hen ffurf fel *ríi̯os*, a honno'n mynd yn ôl i
rywbeth fel *príi̯os*. Gwelir ôl y *p* yn y ffurf Saesneg gytras
free. Mae'r gair *newydd* yn enghraifft arall o'r un peth.
Daw hwn o hen ffurf *noui̯os* (h.y. *nowíi̯os*), a welir er
enghraifft yn yr enw lle a roddwyd eisoes yn y bennod
gyntaf, Nouiodunum. Ffurf hynaf yr ansoddair oedd
noui̯os, a throes yn *noutíi̯os* ym Mrythoneg, ac o'r diwedd
newydd yn Gymraeg. Yn yr Wyddeleg ar y llaw arall ni
roes yr *i*-gytsain *dd*, ond aeth *-i̯o*, yn *-e*, ac yn ddiwedd-
arach *-a*, sy'n cyfateb i'n terfyniad *-ydd* hi ; *nua* yw
newydd yn yr Wyddeleg yn awr.

Mae agwedd bwysig arall ar gyfnewidiadau seiniau
nad ŷm eto wedi sôn amdani, a rhaid inni'n awr droi at
honno. Gall seiniau effeithio ar ei gilydd, ac achosodd
hynny lawer iawn o newid yn yr iaith Frythoneg ar ei
ffordd i'r Gymraeg. Mae cytseiniaid yn effeithio ar ei
gilydd ac ar lafariaid, ac mae llafariaid yn effeithio ar ei
gilydd ac ar gytseiniaid. Er enghraifft, yn y pâr
epālos ebol gwelwn fod *p* Frythoneg wedi troi'n *b* yn y gair
Cymraeg. Y rheswm am hynny yw ei bod yn dod
rhwng dwy lafariad, sef *e* ac *ā*. Yr un rheswm wrth
gwrs sydd am y *d* yn rhyd, o'r ffurf hŷn *ritu* efallai. Gall-
wn egluro'r cyfnewidiad yn syml fel hyn. I gynhyrchu
llafariad, rhaid i ni adael i'r anadl ddod allan yn rhydd a
dilestair o'r ysgyfaint drwy'r genau, a symud lle'r tafod
a ffurf y gwefusau er mwyn amrywio'r llafariad. I fod

yn hyglyw rhaid inni hefyd wneud llais. Nid felly y cynhyrchir cytsain. Llwyr atelir neu rhwystrir yr anadl ar ei ffordd allan, a gellir gwneud llais neu beidio. Er enghraifft, os caewn y gwefusau'n dynn, a hefyd peidio ag anadlu drwy'r ffroenau, yr ydym yn cronni anadl yn y genau. Agorer y gwefusau'n sydyn a gollynger yr anadl allan heb agor llwybr y ffroenau iddo a heb wneud llais, clywir ffrwydrad bychan. Y ffrwydrad hwnnw yw'r gytsain *p*. Yn awr, bwrier ein bod yn llefaru *a* ac yn union ar ei hôl y gytsain *p* ac yna *a* eto. I ddechrau llifa'r anadl allan yn ddi-rwystr a lleisir yr un pryd. Yna'n sydyn atelir yr anadl a'r llais. Wedyn rhyddheir yr anadl gyda ffrwydrad, gadewir iddo lifo'n rhydd eto ac ar yr un pryd lleisir. Rhwng y ddwy *a* ceir felly ddau rwystr—atal anadl ac atal llais. Mae'r gytsain *p* yn wahanol i'r ddwy lafariad yn y ddau bwynt hynny. Er mwyn mynd yn esmwythach o'r *a* gyntaf i'r ail gellir symud un o'r ddau rwystr, drwy beidio â llwyr atal yr anadl neu'r llais. Os y cyntaf a ddewisir, y canlyniad fydd peidio â chau'r gwefusau'n dynn ond eu llacio'n ddigon i beri i ryw ruthr bach o anadl bara i ddod allan, a chael rhwng y ddwy lafariad ryw sŵn tebyg i'r hyn a wneir wrth chwythu cannwyll. Ond os yr ail a ddewisir, cedwir y ffrwydrad ond gyda'r ffrwydrad fe leisir, a dyna'r gytsain *b*, y ffrwydrad lleisiol. Felly try *apa* yn *aba* ar lafar, ac yn y modd hwnnw yr aeth *epālos* yn *ebālos*, o'r diwedd yn *ebawl* ac *ebol*. Cyffelyb hefyd yr aeth *ritu* yn *ridu* ac o'r diwedd yn *rhyd* ; yma'r dannedd sy'n atal yr anadl. Gall yr atal ddigwydd yn y gwddf ; y ffrwydrad di-lais yno yw *c*, ond pan leisir ceir *g*. Felly troes ffurf fel *tecos* yn *tegos*, yn Gymraeg *teg*.

Ymhellach, bwrier ein bod yn dechrau gyda ffurf fel *aba*. Yn ôl y disgrifiad a roed uchod un rhwystr sydd yma rhwng y ddwy lafariad, sef atal yr anadl am eiliedyn er cael y ffrwydrad gwefusol *b*. I rwyddhau'r llwybr o *a* i *a* rhaid rhoi cyfle i'r anadl ddal i gerdded o hyd, a lleisio'r un pryd wrth gwrs. Y peth lleiaf i'w wneud er peri'r llithriad anadl hwn yw llacio'r gwefusau ychydig a chwythu'n ysgafn drwy'r agen fach hon dan leisio. Mae cytsain felly'n ansefydlog dros ben, fel y gwelir wrth ei threio. I osgoi'r ansefydlogrwydd hwn a hefyd i gadw sŵn rhuthrad yr anadl rhaid cael rhywbeth i helpu'r gwefusau. Y peth a wneir yw rhoi'r wefus isaf wrth y dannedd uchaf yn lle'r wefus uchaf. Yn y modd hwnnw ceir y gytsain Gymraeg *f*, ac felly dyna *aba* yn troi'n *afa*. Felly yr aeth *abona* yn *afona*, ac o'r diwedd yn *afon*. Yn wir, byddai'n hawdd, ac yn ddigon diddorol hefyd, ymhelaethu a manylu ar gyfnewidiadau fel y rhain, ond rhaid i ni eu gadael. Dywedwyd digon efallai i ddangos mai math o dreuliad yn dilyn diogi, neu beth bynnag yr ymgais i osgoi cymaint o anawsterau ag sy'n bosibl, a geir yn y dosbarth hwn o gyfnewidiadau cytseiniol. Nid rhyw gynhadledd genedlaethol yn Llandrindod a'u penderfynodd, ond mynych draul ar lafar naturiol pob dydd. Dangosant yn glir hefyd beth a fynegwyd eisoes, sef yr amser hir a gymerth y newid a fu ar yr iaith ac arafwch hanfodol y newid.

Yr un duedd a welir yn y cyfnewidiadau a ddigwyddodd o achos effaith un gytsain ar un arall. Yr oedd yn y Frythoneg air fel *nerton* yn ddiau, ond yn Gymraeg *nerth* ydyw. Gwelir bod y gytsain *t* wedi troi'n *th* ar ôl *r*. Nid felly yr oedd pan ddeuai *t* o flaen *r* ac ar ôl llafariad. Y pryd hynny ceid *d* ohoni, megis yn y gair *neidr*, a ddaeth efallai o ryw ffurf fel *natrīcs* a gellir cymharu'r Lladin *natrix* (neidr ddŵr) â hi, neu'r Hen Saesneg *nædre* (yn ddiweddarach *naddre*, ac yna camrannu *a naddre* yn *an addre*, ac felly cael y gair Saesneg *adder* heddiw). Eto o air *marcos* yn y Frythoneg datblygodd y gair Gymraeg *march*, lle y gwelir *r* wedi peri i *c* ar ei hôl droi'n *ch*. Ceir cyfnewidiad hefyd pan fo dwy gytsain debyg yn taro ynghyd, fel y gwelir er enghraifft gyda dwy *c* mewn gair fel *brĭccos* yn rhoi *ch* yn y gair *brych* a ddaw ohono. Cymerwn eto air cyfansawdd fel *eposenton*, ac yn ôl yr hyn a ddywedwyd yn barod disgwyliwn i'r *p* droi'n *b* ac i'r *s* roi *h*. Felly cawn *ebohenton* ohono. Awn gam ymlaen ar y llwybr yr ydym eisoes wedi ei ddisgrifio, a disgwyliwn gael *ebhent*. Dyma gytsain feddal *b* a'r anadliad caled *h* yn ei dilyn, ac effaith yr anadliad caled hwn oedd caledu *b* i *p*. Mae disgynnydd yr hen air cyfansawdd hwn yn fwy o hyd yn enw Mynydd *Epynt*. Cawn sôn yn y man am y newid llafariad a ddigwyddodd. Yr un elfen yw *epo-* ag a geir yn *epālos*. Mae'n ddiau bod y gair *epos* yn y Frythoneg, a daeth hwnnw o air Celteg *ekụos*, perthynas agos i'r Lladin *equus* " ceffyl." Cadwyd yr enw yn yr Wyddeleg *each* (yr hen ffurf oedd *ech*), ond yn yr ieithoedd Brythoneg y bachigyn *epālos*, " ceffyl bach " fel petai, a gadwyd, yn Gymraeg *ebol*, ac *ebeul* yn Llydaweg. Am weddill yr enw, *hynt* yw hwnnw bellach, ac felly ystyr enw Mynydd Epynt yw " llwybr ceffylau," ac enw priodol iawn ydyw hyd heddiw. Mae'r calediad a barodd yr *h* i'w ganfod yn rheolau'r gynghanedd, er enghraifft mewn llinell fel hon o eiddo Gutun Owain—

Gair teg a wna gariad hir,

lle'r oedd yr un sain i *dh* yn ail hanner y llinell ag i *t* yn yr hanner cyntaf. Fe'i ceir o hyd ar lafar, megis yn *prytynny o pryd hynny*.

Mae'r gair *hynt* yn enghraifft o gytsain, neu gyfuniad o gytseiniaid, yn effeithio ar lafariad. Pan ddelai'r llafariad *e* o flaen cyfuniad o gytsain drwynol—sef *m* neu *n*—a chytsain fud (fel y gelwir *p t c b d g*) troes yn *y* yn Gymraeg. Fe'i gwelir yn y parau canlynol, lle rhoir y ffurf Frythoneg dybiedig yn gyntaf : *senton hynt, ụentos gwynt, pempe pymp* (diweddarach *pump*). Ymddengys yr un cyfnewidiad o flaen *g* yn y gair *tŷ* a ddaw o hen ffurf *tegos*, ac yn yr ansoddair *hy* o hen ffurf *segos*. Yn y geiriau a ganlyn ceir hen *o* wedi troi'n *w* yn Gymraeg o flaen cyfuniad arbennig o gytseiniaid, ond cedwir yr *o* yn yr Wyddeleg (a roir yn ail) : o flaen *rc, twrch torc*, hefyd *iwrch* ; o flaen *rg, llwrw lorg*. Efallai y dylid cyfeirio yma at y ffaith fod *g* wedi diflannu yn y gair *tŷ*, a bod *w*

35

(ansillafog gynt) yn cynrychioli hen *g* yn *llwrw*. Rhaid cofio'r hyn yr ydym eisoes wedi sôn amdano wrth drin effaith llafariaid ar gytseiniaid. Mae *g* yn yr un dosbarth â *b* ; cytsain fud leisiol ydyw, a seinir hi drwy yn gyntaf gau'r gwddf ac atal yr anadl o'r ysgyfaint yno, yna agor y gwddf yn sydyn fel y bo ffrwydrad ysgafn, a hynny dan leisio. Ond wrth lacio'r gwddf ychydig fel y bo'r anadl yn llithro allan dan rwbio, fel petai, wrth ochrau'r gwddf, ceir y gytsain *ch* pan na leisir, ond os lleisir yr un pryd ceir cytsain feddalach a ddynodir â'r arwydd *gh*. Eithr cytsain anodd ei chynhyrchu yw hon, ac felly pur ansefydlog ydyw, a'i thynged fel rheol yn Gymraeg fu diflannu. Felly y digwyddodd yn *tŷ* a *hy* a lliaws o eiriau eraill. Ond ceir ôl y gytsain *gh* o hyd mewn rhai geiriau. Er enghraifft yr oedd yn ddiau yng Nghelteg air a'r sillaf gyntaf *selg-*, a daeth yr Hen Wyddeleg *selg* ohono ; ei ffurf yn awr yw *sealg*. Yn Gymraeg aeth yr *s* yn *h*, a'r *g* yn *gh* i ddechrau. Gydag amser diflannodd yr olaf a chafwyd y ffurf *hel*, y dylid ei gynanu ag *e* fer. Ond ceir ffurf arall hefyd, sef *hela*, a'r *a* hon sy bellach yn cynrychioli'r hen gytsain *gh*. Yn yr oesau canol ysgrifennid *hely*, gair unsill mewn mydr, a'r sain dywyll i'r *y*. Oherwydd yr anhawster i gynanu hely yn unsill, collwyd yr *y* ansillafog ar y naill law a chafwyd *hel*, tyfodd yn sillaf ar y llaw arall a chafwyd *hela*. Ond pan ychwanegir sillaf at y gair ceir, er enghraifft, *heli-af*, gair deusill, ac yn hwn yr *i*-gytsain sy'n cynrychioli'r *y* ansillafog a'r hen gytsain *gh*. Felly o hen air a'r sillaf gyntaf *lorg-* disgwylid *llwry* yn Gymraeg, ond am fod y llafariad *w* yn y gair trowyd yr *y* ansillafog yn *w* ansillafog a chafwyd *llwrw*. Ceir peth cyffelyb yn y gair bwrw, yn ymyl bwri-ad, bwri-af. Yn y Gernyweg ar y llaw arall cadwyd yr hen gytsain *gh* yn *lergh*, ac yn Llydaweg troes yr *gh* yn *ch* a cheir *lerc'h*. Ystyr y gair oedd ôl neu lwybr, yn Saesneg " track, trace." Nis arferir bellach yn Gymraeg ond mewn ymadrodd fel " cwympo yn llwrw ei gefn." Ar lafar wrth gwrs " llwr i gefen " a ddywedir

36

—diflannodd yr *w* ansillafog. Clywir o hyd ymadrodd-ion fel " rown i'n mynd llwr i gefen e," neu " rhowch e llŵ cefen y drws." Yn yr olaf a'r tebyg aeth yr *r* i ganlyn yr *w* ansillafog.

Cyn gorffen gyda'r dosbarth hwn carwn sylwi ar un cysylltiad arall lle yr effeithiodd cytsain ar lafariad. Gwelodd y darllenydd droeon bellach eiriau lle y mae *y* yn Gymraeg yn cyfateb i *ĭ* yn y Frythoneg, er engh-raifft *gwyn uĭndos, rhyd rĭtu, brych brĭccos*. Ond y ffurf a ddaeth o'r Brythoneg *brĭctos* yn Gymraeg yw *brith*, hynny yw ceir *i* Gymraeg am *ĭ* Frythoneg i bob golwg. Nid yw hynny'n fanwl gywir serch hynny. Yng nghyn-taf gwelwn fod *ct* yn y Frythoneg ac *th* yn Gymraeg. Sut y digwyddodd hynny? I gael bod mor glir ag y gallwn rhaid inni ailadrodd tipyn. Rhwng y llafariad *i* ac *o* dyma ddwy gytsain fud ddi-lais, sef *ct*, dau rwystr dwbl. A barnu wrth yr hyn a ddigwyddodd yng Ngaleg y cam cyntaf i leihau'r rhwystr oedd newid y gytsain gyntaf *c* o fod yn gytsain fud neu'n ffrwydrad i fod yn gytsain laes neu anadledig ddi-lais, sef *ch*. Felly y digwyddodd yng Ngwyddeleg, lle y ceir y gair *reacht*, yn yr hen gyfnod *recht*, yn cynrychioli hen ffurf *rect-* a welir er enghraifft yn y gair Lladin cytras *rectus*. Mae disgyn-yddion iddo yn *cyfraith* a *rheithwyr*. Ceir y gair yn yr enw Galeg Rextugenos, lle y saif *x* yn ddiau am y sain Gymraeg *ch*. Felly troes *brĭctos* gyntaf yn *brĭchtos*. Bod-lonodd yr Wyddeleg ar gymaint â hynny o newid, a gwelir y ffurf gyfatebol yn yr iaith honno hyd heddiw yn sillaf gyntaf y gair *breacht-ach* "brith." Ond aeth y newid yn ei flaen yn y Frythoneg, ac mae'n bur debyg taw'r cam nesaf oedd troi'r *t* fud yn *th* laes, gan beri i'r anadl lithro allan yn gyson. Felly cafwyd ffurf fel *brĭchthos*. Y cam nesaf yn ddiau oedd peri lleisio'r *ch* a'i throi'n *gh*, *brĭghthos*. Wedyn aeth y gytsain laes ansefydlog *gh* yn lledlafariad, rhywbeth tebyg i'r *i* yn *bwriaf*, a chafwyd ffurf fel *brĭ̭thos*. Yn olaf aeth yr *i*-lafariad a'r *i*-gytsain yn un, ac wedi colli'r terfyniad dyna'r gair Cymraeg *brith*.

37

Pan fyddai llafariad arall o flaen yr *i*-gytsain, unai'r olaf
â hi i roi dipton yn Gymraeg. Er enghraifft rhoes ffurf
fel *tecta* y gair Hen Wyddeleg *techt*, yn awr *teacht* " dyfod-
iad," yn Gymraeg *teith* gynt, yn awr *taith*. Gallwn
ychwanegu bod y Llydaweg wedi troi'r *th* yn *z*, fel yn
briz a *tiz* sy'n cyfateb i'r ddeuair uchod.

Yn olaf gall llafariad effeithio ar lafariad a pheri iddi
newid. Er enghraifft mae hen ffurf *ŭindos* (a hefyd y
ffurf ddiryw *ŭindon*) wedi rhoi *gwyn* yn Gymraeg, ond
ŭindā wedi rhoi *gwen*. Rhoes *trĭtĭĭos* y ffurf *trydydd* ond
trĭtĭĭā *trydedd*. Y rheswm am hyn yw bod yr *ā* yn yr hen
derfyniad wedi affeithio'r *ĭ* yn y sillaf o'i blaen a'i throi'n
e. Felly newidiodd *ŭindā* gyntaf yn *uendā*, ac yn y
diwedd aeth hwnnw'n *gwen*. Eto cawn yr ansoddair
Brythoneg *dŭbnos* (a'r diryw *dŭbnon*) yn rhoi *dwfn* yn
Gymraeg, ond *dŭbnā* yn rhoi *dofn*. Yr *ā* sy'n gyfrifol am
y newid llafariad yma hefyd. Heb fynd i ormod o
fanylion, gallwn gynnig esbonio'r cyfnewidiad fel hyn.
Pan leferir *i* mae blaen y tafod yn uchel ac ymlaen yn y
genau, yn bur agos i'r daflod a phen uchaf y dannedd
uchaf. Pan leferir *a* mae'r tafod bron yn wastad ar
waelod y genau. Mae agoriad y safn yn lletach hefyd
pan leferir *a* na phan leferir *i*. Felly i symud o *i* i *a* rhaid
tynnu'r tafod yn ôl a'i ostwng, ac agor y safn yr un pryd.
Os gwnewch y symudiad hwn yn raddol—pan na bo neb
yn agos i'ch gweld a'ch clywed—cewch eich bod tua
hanner y ffordd yn llefaru *e*. Mewn geiriau eraill, mae
e tua hanner y ffordd rhwng *i* ac *a*, ac mae'r ymdrech
gyhyrol i symud o *e* i *a* yn llai nag o *i* i *a*. Yr arbediad
ymdrech, neu drafferth os mynnwch, hwn a barodd i
ŭindā droi'n *uendā* yng nghyfnod dadfeiliad y Frythoneg.
Yr oedd yr *a* oedd ar ddyfod fel petai'n taflu ei chysgod
ymlaen dros yr *i* fer. Eithr ni leferid *i* hir mor llac ag *i*
fer, ac am hynny daliodd honno'i thir yn erbyn atyniad
yr *a* hir. Felly ni throes *uīrā* yn *uerā*, ond arhosodd yr *i*, a
chawn y ffurf *gwir* yn Gymraeg yn cyfateb i'r ffurfiau
Brythoneg *uīros* *uīron* a *uīra*. Cyffelyb yw'r esboniad ar

y cyfnewidiad o *u* fer i *o* yn *dofn*. I lefaru *u* (hynny yw, *w*) dyrchefir rhan ôl y tafod a thynnir ei flaen yn ôl. Pan symudir o *w* i *a* rhaid gostwng y tafod a'i wthio ymlaen. Gwnewch yr un peth gyda'r seiniau hyn â chydag *i* ac *a*, dan yr un amodau ag a fynegwyd uchod, a chewch fod *o* yn rhywle tua hanner y daith. Yr enw a roir ar y ddau gyfnewidiad hwn, sef o hen *i* fer i *e*, ac o hen *u* fer i *o*, yw " affeithiad *a*," am mai'r llafariad honno a'u parodd cyn iddi hi ei hunan ddiflannu. Mae'r esboniad uchod yn dangos nad newid mympwyol ydyw, ond rhyw fath o ymgais i fantoli dwy sillaf a'u cael yn nes at ei gilydd er mwyn rhwyddineb wrth siarad.

Enghraifft arall o lafariad yn affeithio llafariad arall o'i blaen yw'r gair beirdd. Daw hwnnw fel y gwelsom o hen ffurf Frythoneg *bardī*. Gwelir yr un cyfnewidiad yn *bran brein* (heddiw *brain*). Daw *brân* o hen ffurf *brănos*, lluosog *brănī*. Fe'i ceir hefyd yn y ffurf Gymraeg ganol *gwreig*, yn awr *gwraig*, yn ymyl y lluosog *gwragedd*. Mae'n sicr taw hen *i* hir, sydd bellach wedi diflannu, a barodd droi *a* yn *ei* yn *gwreig*. Y ffurf wreiddiol oedd rhywbeth fel *u̯racō*. Pan fyddai *ō* ar ddiwedd gair Celteg, fe droes yn *ū* (*ŵ*) yn y ddwy gangheniaith, nid yn *ā* fel y gwnaeth mewn sillafau eraill. Datblygodd yr *ū* hon yn y Frythoneg fel hen *ū* wreiddiol, sef i lafariad rywbeth yn debyg i'r *u* Ogleddol heddiw ond gyda gwefusau crwn. Tynged y sain hon oedd troi'n *ī*—dyna pam y ceir *i* yn *dinas* o'r *ū* yn yr hen ffurf *dūnon*. Gwelwn hyn yn glir iach yn hanes y gair *ci*. Rhaid dechrau gyda ffurf debyg i *cu̯ō* (hynny yw, *cwô*, gair unsill). Troes hwnnw'n *cū* (*cŵ*), a saif yn ddigyfnewid hyd heddiw yn y Gwyddeleg *cú*. Ond yn Gymraeg cafwyd *ci*. Felly gallwn gymryd bod yr hen ffurf dybiedig *u̯racō* wedi dod yn bur agos i *u̯racī* o ran sain, ac o honno y cafwyd *gwraig* yn Gymraeg. Gwelwn mai'r sain *i* hir sy wedi achosi'r cyfnewidiadau hyn, ac felly gelwir y math hwn o newid yn affeithiad *i*. Ni roddir yma ond enghreifftiau o un o'r dosbarth hwn o gyfnewidiadau, oherwydd nid oes gennym ofod i fynd

drwy'r holl fanylion. Rhaid i'r darllenydd a fynno
wybod rhagor yn eu cylch droi i'r gramadegau.

Mae rhai o'r cyfnewidiadau hyn yn seiniau'r hen
Frythoneg i'w canfod hefyd nid yn unig mewn gair ar ei
ben ei hun, ond mewn cyfuniad o eiriau y bo cysylltiad
agos rhyngddynt a'i gilydd. Y rheswm am hynny yw
na leferir geiriau ar wahân wrth siarad eithr cyplysir
hwy ynghyd. Er enghraifft pan ddefnyddir ansoddair
gydag enw daw fel rheol ar ôl yr enw yn Gymraeg, megis
gŵr mawr. Gallwn roi *uĭros māros* fel y ffurf Frythoneg
efallai ; ac fel y gwelsom diflannodd terfyniadau'r ddau
air yn Gymraeg. Ond dywedwn *afon fawr*, a threiglir
yr *m* yn feddal am ei bod ar ddechrau ansoddair sy'n
dilyn enw unigol benywaidd. Awn yn ôl at y Frythoneg
a chawn yn ddiau'r ffurf *abona māra*. Sylwch fod yr *m*
yn y cyfuniad hwn rhwng dwy lafariad, ac yn ôl yr hyn a
ddangoswyd eisoes gallwn ddweud bod *abŏna māra* ryw-
dro wedi troi'n *afona fāra*, ac o'r diwedd yn *afon fawr*.
Yr un modd aeth *lāma trŭmba* yn *lāfa dromba*, yna'n *llawf
drom* ac o'r diwedd *llaw drom*. Mae'r *f* sy'n dreigliad
meddal o hen *m* wedi diflannu yn *llaw*, ond cedwir hi yn
llofrudd (gw. tud. 6), a gwelir hi hefyd yn *lloffa*, casglu
â'r llaw. Manylwn am ennyd ar y gair olaf. Daw
lloffa o *llof-ha* ; gwyriad yw *llof* o'r hen *llawf*, ac olddodiad
yw *-ha* a roir wrth enw neu ansoddair i'w droi'n ferfenw.
Er enghraifft i gael berfenw o *gwell* ychwanegid *-ha* a
cheid *gwellha*. Gan fod yr acen ar y goben collodd yr *h*
ac felly ceir *gwella*. Weithiau ychwanegid y terfyniad
berfenwol *-u* at ffurf felly, megis o *trwm* y berfenw *trym-
ha-u*. Cymharer yr hen ddihareb " Nid gwaradwydd
gwellhau." Fel y gwelsom, tuedd yr anadliad caled *h*
yw caledu cytsain feddal o'i flaen. Ceir berfenw o *bwyd*
trwy ychwanegu *ha*, *bwydha*, ond rhoes hyn inni'r gair
bwyta. Try *g-h* yn *c*, fel yn yr hen ferfenw *marchog-ha-u*, a
roes *marchocáu*, neu fel yr aeth ar lafar *brychgáu*. Felly'n
yr aeth *fh* yn *ff* ac y troes *llof-ha* yn *lloffa*, fel yr aeth *cryf-ha*
yn *cryffa*. I ddychwelyd at gyfnewidiad yng nghytsain

gyntaf yr ail o ddau air, ceir yr un peth weithiau pan fydd enw yn dilyn enw. Llinell gyntaf Marwnad Tudur Aled i Ddafydd ab Edmwnt yw

Llaw Dduw a fu'n lladd awen.

Cyfetyb yr *dd* yn *lladd* i'r *dd* yn Dduw. Ffurf hŷn ar *llaw Dduw* fyddai *llaw Ddwyw*, ac i fynd yn ôl i'r Frythoneg *lāma Dēui* (o *Deiuī*, h.y. *deiwi*). Lleferid y ddeuair fel ungair, ac felly deuai *d* rhwng dwy lafariad ac yna troai'n *dd*.

Byddai'n hawdd inni ymhelaethu ar gyfnewidiadau fel hyn, ond rhaid bodloni ar y rhai a driniwyd eisoes, rhag i'r peth fynd yn feichus. Ond cyn eu gadael priodol fyddai cofio mai pan ddigwyddai'r cyfnewidiadau cytseiniol hyn ar ddechrau gair y sylwid arnynt. Hawdd canfod y newid pan welir ffurfiau fel *pen*, *mhen*, *ben*, *phen* ar yr un gair. Felly daethpwyd i alw'r rhain yn dreigliadau dechreuol, a chasglwyd ynghyd gan y gramadegwyr y '' rheolau '' sy'n eu llywodraethu. Eithr gwelwn nad *dechreuol* ydynt mewn gwirionedd, ond mai'r un cyfnewidiadau ydynt â'r rhai a ddigwydd yng nghanol gair ac mai'r un rheswm oedd amdanynt ar y cyntaf. Cofier, serch hynny, nad yw *pob* treigliad dechreuol yn yr iaith fel yr arferir hi heddiw i'w esbonio'n hawdd fel hyn. Cawn weld eto fod hynny ymhell iawn o fod yn wir, canys nid peirianwaith dienaid yw iaith.

41

ADEILADU'R GYMRAEG

YR ydym bellach wedi bwrw golwg dros y modd yr adfeiliodd y Frythoneg, a gallwn yn awr symud gam ymlaen i weld sut y tyfodd y Gymraeg o'r adfeilion hyn. Gwelsom y gair Brythoneg *cū*, sef ffurf y cyflwr enwol unigol, yn troi'n *ci*. Yr hen ffurf luosog ar yr un cyflwr oedd *cŭnes*, a gwyddom fod hwnnw wedi rhoi *cŵn* yn Gymraeg. Nod y rhif lluosog yn y Frythoneg oedd y terfyniad *-es* a ychwanegid at y bôn *cŭn-* ; yr *-es* a ddangosai fod llawer o gŵn. Digwyddai'r un terfyniad mewn geiriau eraill, a diau y gallwn roi'n enghreifftiau y ffurfiau *catoues* a *lŭcotes*, a roes yn Gymraeg *cadau* a *llygod*. Hen ffurf unigol y cyflwr enwol i'r ddau air hyn oedd *catus* a *lŭcōs*, y mae'n bur debyg, a rhoes y rhain yn Gymraeg y ffurfiau *cad* a *llyg*. Sylwch yn fanwl beth a ddigwyddodd. Diflannodd yr hen nod lluosog *-es* yn llwyr, a *darn* yn unig o'r hen ffurf luosog a gadwyd, sef bôn y gair yn unig, y rhan honno o'r enw yr ychwanegid y terfyniad lluosog ato. Yn y Frythoneg y *bôn* yn unig oedd *lŭcŏt-*, ac nid oedd yn *air* o gwbl. Ond yn yr iaith newydd, y Gymraeg, yn y ffurf *llygod*, dyma fe'n *air* annibynnol. Enw *un* o'r creaduriaid bach hyn yn y Frythoneg oedd *lŭcōs*, ond darn yn unig a gadwyd yn Gymraeg sef yr hen air *llyg*. Pan fyddai rhywun am ddweud yn y Frythoneg frawddeg fel hon—bwytaodd llyg(oden) y cig, lle y daw *llygoden* fel goddrych y ferf, y ffurf ar y gair fyddai *lucōs*. Ond pe mynnai ddweud—lladdodd y ci lyg(oden), yna'r ffurf a ddefnyddiau, mae'n bur debyg, fyddai *lŭcŏton*, sef y cyflwr gwrthrychol. Pe soniai am gynffon llyg(oden) y ffurf fyddai *lŭcŏtos*, sef y cyflwr genidol. Felly dyma dair ffurf i'r gair llygoden yn y Frythoneg, yn y rhif unigol, mewn gwahanol gysylltiadau gramadegol yn y frawddeg. Gwelsom fod *lŭcōs*

wedi rhoi *llyg* yn Gymraeg, ac yn ôl y dull rheolaidd y
datblygodd, neu yr adfeiliodd ffurfiau'r iaith, gwelwn y
dylai'r ffurf unigol wrthrychol *lŭcŏton* a'r ffurf unigol
enidol *lŭcŏtos* ill dwy roi yn Gymraeg *llygod*. Fel y
dywedwyd eisoes mae'r hen ffurf Frythoneg luosog
lŭcŏtes wedi rhoi *llygod* hefyd. Nid oedd bosibl cymysgu'r
tair ffurf yn y Frythoneg gan fod y terfyniad yn wahanol
er bod y bôn yn ddigyfnewid. Wedi colli'r terfyniad
nid arhosai ond y bôn *lŭcŏt-*, a chynrychiolydd hwnnw
yn yr iaith newydd yw *llygod*. Yr un modd gyda'r gair
ci. Yr hen gyflwr enwol oedd *cū* a roes *ci* ; yr hen gyflwr
gwrthrychol oedd *cŭnon* yn ddiau, a'r hen gyflwr genidol
cŭnŏs, a datblygai'r ddwy hyn yn *cŵn*, fel y gwnaeth yr
hen luosog enwol *cŭnes*.

Gellir dweud bod ffurfiau'r iaith newydd yn symlach
am fod yr hen derfyniadau wedi diflannu, yn ogystal â
llafariaid diacen yng nghorff gair. Ond sylwch beth a
ddigwydd pan fo'r terfyniadau hyn yn colli—cyll gair
nod ei berthynas arbennig yn yr ymadrodd, sef ei derfyn-
iad. Efallai y gallwn ailadrodd tipyn er mwyn ceisio
bod yn hollol glir. Cymerwn dair brawddeg gyda'r enw
ci yn y cyflwr enwol, gwrthrychol a genidol, a'r ffurf
luosog *cŵn* yn y bedwaredd.

Enwol (goddrych)	— Neidiodd ci ataf
Gwrthrychol	— Lleddais gi.
Genidol	— Torrais ben ci.
Lluosog enwol	— Neidiodd cŵn ataf.

Mae'r tair ffurf unigol yn debyg, ag eithrio'r treigliad yn
yr ail. Yn y Frythoneg, ffurf yr enw yn y frawddeg
gyntaf fyddai *cū*, yn yr ail *cŭnon*, yn y drydedd *cŭnos*, ac
yn y bedwaredd *cŭnes*. Petai'r ffurfiau hyn bob un, yn
eu gwahanol berthynasau gramadegol, wedi eu cadw yn
Gymraeg, yna dywedem *ci* yn y frawddeg gyntaf uchod,
ond *cŵn* ym mhob un o'r lleill, er mai un ci a olygai yn yr
ail a'r drydedd. Gellir dweud yr un peth am yr enw
llyg llygod. Os cymerwn yr hen ffurfiau am yr enw *bardd*

44

cawn ragor o amrywiaeth. Trefnwn hwy'n golofnau gyda'r cyflwr yn y golofn gyntaf, y ffurf Frythoneg yn yr ail, a'r ffurf ddiweddar newydd a roddai honno yn y drydedd.

Unigol enwol	bardos	bardd
Gwrthrychol	bardon	bardd
Genidol	bardī	beirdd
Lluosog enwol	bardī	beirdd

Hynny yw, gallai'r ffurf *beirdd* olygu un neu fwy nag un. Yr oedd y symlrwydd a enillwyd yn y ffurf wedi peri amwysedd yn yr ystyr. Ond yr oedd ystyr yn bwysicach na ffurf, am ei bod yn hanfodol i bobl ddeall ei gilydd. Felly bu raid i'r iaith newydd wneud rhywbeth i lanw'r bylchau a achoswyd gan y difrod a wnaed â'r hen derfyniadau. Yn ffodus nid oedd hynny'n anodd gyda'r geiriau yr ydym ar hyn o bryd yn eu trafod. Y peth a wnaethpwyd oedd neilltuo un ffurf at yr unigol a'r llall at y lluosog. Nid cynhadledd, nid pwyllgor, nid llithiau a llythyrau mewn papur newydd a chylchgrawn, nid llawlyfrau a barodd hyn, ond synnwyr cyffredin yr haid. Gwelodd yr haid hwylustod galw *un* yn *fardd*, yn *gi*, yn *llyg*, neu'n *gad*, a *lliaws* yn *feirdd*, yn *gŵn*, yn *llygod*, neu'n *gadau*. Wedi i'r haid hen setlo'r pethau hyn wrth ei bodd, daeth rhyw ramadegydd i ddosbarthu'r ffurfiau, a'r peth a welodd hwn oedd sut y gwneir y lluosog o'r unigol ; newid ei du mewn neu estyn rhywbeth ato. Ond cofiwch fod y pethau hyn wedi mynd yn rhemp cyn i'r gramadegydd hwnnw ddod i'r maes.

Gwelsom yr unigol *epālos* yn rhoi *ebol* ; lliaws ohonynt yn y Frythoneg fyddai *epālī*, ac ni allai hwnnw roi dim ond *ebol*. Un ydoedd *deiụos*, a lliaws ohonynt fyddai *deiụī* ond yr unig ffurf a ellid o'r ddwy yn yr iaith newydd oedd *dwyw*, yna *dyw* ac o'r diwedd *duw*. Daw *clust* o ryw ffurf fel *clousta*, ac ni allai'r ffurf luosog *cloustās* roi ond *clust* yn Gymraeg. Aeth *caliācos* yn *ceiliog*, ac felly hefyd yr âi'r lluosog *caliāci*. Yr oedd hyn yn dlodi mawr, ac yn

45

rhwystr ar ffordd eglurder ymddiddan. Yr oedd yr
offeryn yn ddiffygiol, ac felly yr oedd yn rhaid ystumio
peth arno er mwyn ei wneud yn ddefnyddiol. Dyma
synnwyr cyffredin yr haid ati unwaith eto. Canfu
rhywun fod *-od* o wahaniaeth rhwng un *llyg* a llawer o
lygod, ac felly treiodd ffurf, cafwyd honno'n dderbyniol a
hwylus gan y mwyafrif, ac yr ydym hyd heddiw yn cadw
ceiliog ceiliogod. Gwelwyd mai'r sillaf *-ou* (a aeth wedyn
yn *-eu*, ac erbyn hyn yn *-au*) oedd yn gwahaniaethu
rhwng un *gad* a llawer o *gadau*, ac felly treiwyd *dwyweu* a
clusteu, a dyma ni bellach yn arfer duwiau a chlustiau o
hyd. Yr oedd dosbarth arall o enwau a'u bôn yn
diweddu yn *-ion* ; daeth y sillaf hon gydag amser i'w
chymryd fel nod y rhif lluosog. Drwy ddefnyddio hon
rywdro y cafwyd y ffurf luosog *ebolion*. Cymerer eto
enghraifft arall, sef yr hen air diryw *arătron*, a roes inni
aradr. Cyflwr genidol y rhif unigol fyddai *arătrī*, a
rhoddai honno *ereidr*. Ond yn y lluosog, yr enwol fyddai
arătra, ac etifedd y ffurf honno yn yr iaith newydd fyddai
aradr. Felly dyma'r un ffurf am yr unigol a'r lluosog,
aradr, a ffurf amrywiol yn yr unigol genidol, sef *ereidr*.
Gwelsom y gallai *beirdd* fod yn unigol genidol ac yn
lluosog, ac mai fel lluosog y daethpwyd i'w arfer yn yr
iaith newydd. Drwy gydweddiad naturiol aeth *ereidr*
yntau'n lluosog, diweddarach *erydr*, er nad oedd hynny'n
hanesyddol gywir. Pan feiddiodd rhyw greawdwr
llygadog arfer *ereidr* am y tro cyntaf i olygu mwy nag un
aradr, pe bai gramadegwyr a newyddiaduron yn y
dyddiau cynnar hynny, nid anodd i ni heddiw ddychym-
mygu am ymadroddion cynhyrfus fel " cam dybryd
â'r iaith," " llurguniad cywilyddus," ac felly yn y
blaen. Ond y gwir yw bod yr iaith Gymraeg yn frith
o'r cyfryw " feiau gwarthus," am ei bod yn iaith fyw sy
wedi mynnu tyfu yn ei ffordd ei hun yn sefydliad cym-
deithasol pwysig a oedd i alluogi corff mawr o bobl i
allu ymarllwys rhyngddynt a'i gilydd mewn geiriau,
mewn iaith yr oedd yn hanfodol bwysig yn y lle cyntaf

46

iddynt allu deall ei gilydd ynddi. Y peth a fu o help anhraethol yn yr adeilad newydd, yr iaith ifanc, oedd cydweddiad.

Dyma enghraifft drawiadol iawn ohono. Cawn y ddau air Cymraeg *anu*, *enuein* wedi eu sgrifennu mewn llawysgrif yn y nawfed ganrif. Yn ein horgraff ni, *anw*, *enwein* (neu *enwain*) fyddai eu ffurf. Yr unigol yw'r cyntaf a'r lluosog yw'r ail. Erbyn heddiw, *enw enwau* ydynt, dau air parchus na fynnai neb eu " cywiro." Y ffurfiau Gwyddeleg cyfatebol oedd *ainm*, *anmann*— cadwyd *m* yma, ond newidiwyd hi yn *w* yn Gymraeg. Awgryma'r ffurfiau hyn mai *anw anwan* oedd y ffurfiau Cymraeg cyntaf oll, er na welwyd enghraifft eto o'r olaf. Gan fod llafariad yn aml yn newid yn y lluosog—gwelsom hynny uchod yn *ereidr* er enghraifft—newidiwyd *anwan* i *enwain* i " ddilyn y ffasiwn." Parhaodd y ffurf *enwain* yn hir, ond mae'n amlwg nad oeddid yn rhyw hapus iawn gyda'r pâr *anw enwain*. (Ysgrifennaf hwy yn y dull presennol er mwyn rhoi'r peth yn gwbl glir). Nid oedd -*ain*, yn ddigon o " derfyniad lluosog," er ei fod yn digwydd mewn geiriau eraill. Felly newidiwyd *enwain* i *enwau*—dyna'r " llurguniad " cyntaf efallai—a chafwyd y pâr *anw enwau*. Ond ni ddywedid *tad tedau*, *cad cedau* ; yr oedd llafariad y bôn yn para'n un yn y ddwy ffurf. I ddilyn y ffasiwn hon eto trowyd *anw* yn *enw*, a dyna'r pâr *enw enwau*. Ond nid felly y bu yn hanes y gair *cam*. Ei ffurf luosog hynaf ef oedd *cemmein*, ond gadawyd hwnnw yn ffafr *camau* ; yr un modd daeth *rhwymau* i gymryd lle *ruimmein* (rhwymain), y ffurf hynaf. Ond trowyd *gofein*, hen luosog *gof*, yn *gofaint*, ac erbyn hyn ar lafar ceir *gofiaid*. Yn wir, bron na allem ddweud nad oes derfyn ar effeithiau cydweddiad yn nhyfiant iaith.

Hyderaf bellach ei bod yn glir i'r darllenydd sut yr ad-drefnodd yr iaith newydd y dull o wahaniaethu rhwng enw unigol ac enw lluosog. Ceisiais ddangos mai digwyddiadau seinyddol y gellir eu deall yn weddol dda ar y cyfan, a hynny mewn rhai mathau o eiriau yn unig, a'i gwnaeth yn bosibl i'r bobl gael dulliau newydd wedi i'r hen fynd ar ddifancoll. Yna wedi cael y dulliau newydd hyn i weithio'n ddigamsyniol yn y geiriau hynny cymhwyswyd hwy fel y mynnid at eiriau eraill drwy gydweddiad. Gwaith y gramadegydd yw dal sylw'n fanwl ar y digwyddiadau hyn a fu cyn iddo ef ddechrau ar ei waith, ac yna, os gall, eu dosbarthu'n ofalus er cyfarwyddyd. Ond rhaid iddo gofio bod bywyd mewn iaith fyw, ac na fyn hi ddilyn yr hen *am* ei fod yn hen. Buwyd unwaith yn galw *bugelydd* ar fwy nag un bugail, a honno yw'r ffurf *hanesyddol* gywir. Ffurf " garbwl " yw *bugeiliaid*, a luniwyd drwy " gwacyddiaeth "—gellir dangos hynny drwy reolau, oni ellir ? Ond mae'n ffurf fyw, a glŷn synnwyr cyffredin yr haid ynddi bellach ers canrifoedd, a gwrthyd synnwyr digrifwch yr haid yr hen ffurf gywir ond *marw*, bugelydd.

Buom eisoes yn trin hanes parau fel *dwfn dofn*. Gwelsom mai terfyniad yr ansoddair benywaidd yn y Frythoneg oedd -*ā*, a bod bôn yr ansoddair yn cadw'r un, sef *dŭbn*-. Ond oherwydd rheswm seinegol troes *dŭbnā* yn dofn yn yr iaith newydd, tra parhâi *dwfn* yn etifedd yr hen wrywaidd a diryw. Cawsom beth cyffelyb yn hanes *gwyn gwen*. Diflannodd hen nodau cenedl o'r ansoddeiriau hyn, ond digwyddodd bod un ohonynt, sef yr *a* ar ddiwedd y ffurf fenywaidd, wedi gadael ei ôl ar y gweddill o'r gair a gadwyd. Felly cafodd yr iaith newydd nod hwylus i wahaniaethu rhwng gwrywaidd a benywaidd, a bellach dysgwn y rheol bod *w* ac *y* yn y gwrywaidd yn troi'n *o* ac *e* yn y benywaidd. Un o'r enghreifftiau a ddysgwn yw *crwn cron*. Dengys y ffurf Wyddeleg *cruinn* serch hynny fod *crwn* i'w olrhain yn ôl i hen ffurf debyg i *crŭndis*, ac yr oedd honno'n wrywaidd ac yn fenywaidd, gyda *crŭndi* efallai fel y ffurf ddiryw. Etifedd Cymraeg pob un o'r tair ffurf yw *crwn*, ac mae *cron* yn " amhosibl " o safbwynt hanes seiniau'r iaith. Pa waeth am hynny ? Yr oedd y pâr *w o* yn rhy hwylus o'r hanner i'r haid boeni dim am " gywirdeb " manwl ym

mhob gair. Felly daeth *cron* i fod drwy gydweddiad â
ffurfiau fel trom, dofn. Eto, dysgwn fod *brith braith* yn
enghraifft o gyfnewidiad afreolaidd, a gwir hynny yn yr
ystyr nad oes enghraifft arall o bâr tebyg. Awn gam yn
ôl a gwelwn fod y cyfnewidiad yn hanesyddol gwbl reol-
aidd. Gwelsom eisoes fod brith yn dod o *brĭctos*, y ffurf
wrywaidd. Yr hen ffurf fenywaidd oedd *brĭctā*, ac fel y
dangoswyd affeithiodd yr -*ā* yr -*ĭ*- a'i throi'n *e*. Felly
cafwyd *brectā*, a ddaeth yn *breith* ac yna *braith* yn hollol
gyson. Perthynas agos i *brith* yw *brych*, a olrheinir i
ryw ffurf fel *brĭccos*. Ei ffurf fenywaidd oedd *brĭcca*, ac y
mae honno wedi datblygu'n rheolaidd fel *brech* yn Gym-
raeg, erbyn hyn enw (y frech goch neu wen, brech yr
ieir) yn ogystal ag ansoddair.

Gydag ansoddeiriau ag *ŭ* neu *ĭ* yn eu bôn y gallai'r
cyfnewidiad hwn ddigwydd yn unig. Mewn ansodd-
eiriau a llafariaid eraill llwyr ddiflannodd pob nod gwa-
han rhwng gwrywaidd a benywaidd gyda diflaniad yr
hen derfyniadau. Gwyddys bod cytsain flaen ansodd-
air yn treiglo'n feddal ar ôl enw unigol benywaidd, megis
yn *afon fawr*, a gwelsom hefyd beth a barodd hyn i
ddechrau, sef bod *afon* gynt yn diweddu mewn llafariad.
Ond nid oedd pob enw benywaidd yn diweddu mewn
llafariad yn y Frythoneg. Dyna'r gair *gwlad* er engh-
raifft. Ei hen ffurf fyddai *ụlătis*, ac ni allai *ụlătis māra*
byth roi *gwlad fawr*. Eithr yr oedd llawer o enwau unigol
benywaidd yn y Frythoneg yn diweddu mewn llafariad
(*ā* neu *ĭ*), ac felly yr oedd nifer sylweddol o enwau yn yr
iaith newydd y digwyddai'r treigliad yn yr ansoddair
ar eu hôl. Y canlyniad naturiol oedd i hyn ledu drwy'r
iaith newydd drwy gydweddiad, nid am reswm hanes-
yddol cadarn o safbwynt y seiniau gwreiddiol. Ond yr
oedd nifer mawr o enwau gwrywaidd a'u lluosog enwol
yn diweddu yn y llafariad *ī*, megis *bărdī* beirdd, *mărcī*
meirch. Nid oedd fwy o reswm seinegol i *abona māra*
droi'n *afon fawr* nag i *bardī mārī* roi *beirdd fawr* neu i
mărcī mārī roi *meirch fawr*. Nid cenedl yr enw a barodd

y treigliad yn wreiddiol, ond y ffaith fod yr enw yn diweddu mewn llafariad. Mae'r un amgylchiadau yn hollol gyda'r ffurfiau lluosog a grybwyllwyd, ond dewisodd y Gymraeg, am ryw reswm anhysbys, beidio â chadw'r treigliad ar ôl enw gwrywaidd lluosog. Yn hyn o beth cymerth y Gymraeg lwybr gwahanol i ddwy ferch arall y Frythoneg, sef Cernyweg a Llydaweg, canys digwydd treigliad meddal yn yr ansoddair ar ôl enw gwrywaidd lluosog yn yr ieithoedd hynny. Dyma wers arall i ddangos inni nad peirianwaith yw iaith, ond bod llefarwyr iaith fyw yn mynnu dewis a chadw a gwrthod. Mae hynny'n ychwanegu'n ddirfawr at ddiddordeb yn ogystal ag at anawsterau astudio iaith.

Rhaid brysio ymlaen at rai pwyntiau eto y byddai'n fuddiol sôn amdanynt. Gwelsom fod colli'r hen derfyniadau wedi dileu'r hen wahaniaethau yn y cyflyrau. Mae ambell un yn aros serch hynny. Er enghraifft, mae'n sicr bod un enw priod yn digwydd yn bur aml yn y Frythoneg, sef *Maglocū*, gair cyfansawdd yn cynnwys *maglo-*, bôn yr enw *maglos*, tywysog, a *cū*, sef ci (yn yr ystyr " amddiffynnydd "). Disgwyliem i *Maglocū* roi Meilyg yn Gymraeg, ac fe ddigwydd hefyd mewn hen orgraff *Meilic* yn Llyfr Llandaf. Yn y cyflwr gwrthrychol *Maglocunon* fyddai, a disgynnydd ffurf felly yw'r enw Maelgwn. Yr oedd hefyd yn ddiau enw priod o'r ffurf *Teutorīcs*, cyflwr genidol *Teutorīgos*. Disgynnydd y blaenaf yw'r enw a geir yn Llyfr Llandaf *Tutir* (yna Tudyr, yna Tudur), a cheir yn yr un Llyfr ddisgynnydd yr olaf yn y ffurf *Tutri* (sef Tudri). Ymhellach, cyflwr traws *pen* yw *pyn*, a welir yn yr arddodiad *erbyn*, gair cyfansawdd o'r hen arddodiad *er* (" o flaen ") a *pyn* gyda'r treigliad meddal ar ôl *er*. Mewn Cernyweg Canol ceir ymadroddion fel *er dhe byn* " er dy byn," yn golygu " yn dy erbyn " fel y dywedwn ni'n awr. Ond ag eithrio rhyw ddyrnaid fel hyn, collwyd yr hen gyflyrau Brythoneg yn llwyr.

Diflannodd y rhif deuol hefyd, er ei fod yntau wedi

gadael peth o'i olion. Diweddai cyflwr enwol enw o'r rhif deuol gynt mewn llafariad. Gwelsom enghreifftiau o derfyniad llafarog felly yn peri i gytsain flaen y gair dilynol feddalu, megis *afon fawr*. Felly disgwyliem i'r treigliad ddigwydd ar ôl enw yn y rhif deuol er iddo fod yn wrywaidd. Cawn enghreifftiau o hynny yn llenyddiaeth y cyfnod canol, megis *deu uilgi uronwynnyon urychyon*, heddiw *dau filgi bronwyn brych*. Mae'n sicr nad yw ffurf yr enghreifft olaf yn perthyn i gyfnod cynnar iawn yn hanes yr iaith. Tebycach o lawer mai rhywbeth fel *dau filgwn fronwyn frych* fyddai'n cynrychioli'r ffurf gynharaf yn Gymraeg. Yn union fel y gwelwyd bod *cŵn* yn cynrychioli bôn yr hen ffurf luosog, felly byddai *cŵn* hefyd yn cynrychioli bôn yr hen ffurf ddeuol wedi i'r terfyniad llafarog golli. Yr un modd y mae *ychen* yn disgyn yn syth o gyflwr enwol y lluosog a'r deuol, ac felly cawn enghraifft yn ein hen lenyddiaeth fel *deu ychen* am *dau ych*. Hynny yw, mewn rhai mathau arbennig o enwau, byddai'r ffurf ddeuol yn Gymraeg yn un â'r ffurf luosog. Mewn mathau eraill o enwau, ar ôl colli'r hen derfyniadau, byddai'r ffurf ddeuol yn un â'r ffurf unigol. Eithr diweddent oll yn wreiddiol mewn llafariad, ac felly disgwylid yn naturiol i dreigliad meddal ddigwydd yn yr ansoddair a'u dilynai. Arweiniai hyn yn naturiol i gryn ddryswch yn yr iaith newydd. Ar y naill law, dyweder, ceid *dau ŵr*, *dau farch* yn cynrychioli'r hen ffurf wreiddiol yn fanwl gywir, ac ar y llaw arall *dau gŵn*, *dau ychen*, *dwy wragedd* yr un modd. Mae *dau filgi fronwynion frychion* yn enghraifft wych o'r benbleth yr aethpwyd iddi. Yn gyntaf, ceir y ffurf *milgi* yn lle'r hanesyddol gywir *milgwn* i gynrychioli'r hen ffurf ddeuol. Yna ceir y ffurfiau lluosog diweddar ar y ddau ansoddair yn lle *bronwyn* a *brych*, a gynrychiolai'r hen ffurfiau deuol. Ar yr un pryd ceir yn yr ansoddeiriau y dreigliad meddal a ddengys ddatblygiad naturiol y ffurfiau deuol cyntefig. Erbyn heddiw, o drugaredd, ymwrthododd yr iaith bron yn llwyr â'r hen ddulliau hynafiaethol hyn. Ced-

wir y treigliad meddal ar ôl *dau* a *dwy*, ond ffurf unigol
yr enw sy'n dilyn, a threigliad meddal yr ansoddair ar
ei ôl pan fo'r enw'n fenywaidd yn unig.

Elfen arall yn y symleiddio wrth dyfu iaith newydd
oedd colli'r hen genedl ddiryw yn hollol, a chyfyngu'r
enw a'r ansoddair i ddwy genedl, sef gwrywaidd a ben-
ywaidd. Arweiniodd hynny i ansicrwydd ynglŷn â
chenedl amryw eiriau, ac y mae olion peth o'r ansic-
rwydd hynny'n para yn yr iaith hyd heddiw. Yr oedd
yn yr Hen Wyddeleg yr enw diryw *scél* ; ei gymar
Cymraeg yw\ *chwedl*, a theg yw casglu mai diryw ydoedd
yn y Frythoneg. Wedi i'r Gymraeg ymwrthod â'r
genedl ddiryw aeth *chwedl* yn wrywaidd, ac felly yr
oedd yn y cyfnod canol. Erbyn heddiw aeth yn fen-
ywaidd ; mewn Gwyddeleg Diweddar, lle hefyd y coll-
wyd y genedl ddiryw, gwrywaidd ydyw, yn y ffurf *scéal*.
Eto, diryw oedd *nem* (h.y. *nef*) yn yr Hen Wyddeleg, a
diau mai o enw Brythoneg diryw y daeth y Cymraeg *nef*.
Bu *nef* yn ei dro'n wrywaidd yn Gymraeg, ond bellach
benywaidd yw, fel y Gwyddeleg *neamh*. Erys ei gymar
Llydaweg, *nēnv*, yn wrywaidd o hyd. Yr oedd *cloth* gynt
yn ddiryw yn yr Wyddeleg ond bellach gwrywaidd yw.
Mae ei gymar Cymraeg *clod* yn para hyd y dydd hwn yn
ansicr ei genedl, ac yn fath o etifedd i'r ansefydlogrwydd
hwnnw oedd bron yn hanfodol yn y cyfnewid mawr a
fu wrth lunio iaith newydd o adfeilion hen iaith.

Os yw'r cyfnewidiadau y buom yn hirymdroi gyda
hwy'n fawr, nid ŷnt ond cymharol fach wrth y cyfnewid
a fu yn natblygiad y ferf yn yr iaith neeydd. Mae
astudio'i hanes hi a'i tharddiad yn neilltuol o anodd,
oblegid nid oes gennym ddim tystiolaeth uniongyrchol
amdani yn yr iaith Frythoneg. Gwyddom fod cyfun-
drefn ferfol yr Hen Wyddeleg yn ddyrys dros ben, ond
mae'r olwg gyntaf a gawn arni yn y Gymraeg yn dangos
yn ddigon amlwg ei bod wedi cerdded ymhell iawn oddi
wrth unrhyw gymhlethdod a allasai fod yn perthyn iddi
yn y Frythoneg. I fod yn fanwl deg tuag at hanes dat-

blygiad y ferf byddai'n rhaid wrth fwy nag un o'r cyfrol-
au hyn, a byddai raid i lawer o'r ymdriniaeth fod yn
amwys ac yn amheus. Er hynny ni byddai'n iawn inni
beidio â sôn rhyw gymaint amdani hithau wrth ddelio â
phwnc datblygiad yr iaith Gymraeg. Felly ceisiwn
gyfeirio at rai pethau sydd heb fod yn rhy astrus, ac a
rydd hefyd ryw help i ni i gael syniad am faint y newid a
fu.

Cymerer i ddechrau ffurf person cyntaf unigol amser
presennol y modd mynegol, er enghraifft *caraf*, Gellir
rhannu'r ffurf hon yn ôl ei helfennau fel hyn, *car-a-f*,
yr elfen *car-* yn cynrychioli'r gwreiddyn, *-a-* yn cynrych-
ioli llafariad y bôn neu'r ffurf honno yr ychwanegir rhyw
derfyniad ati, ac *-f-* yn weddill yr hen derfyniad gwreidd-
iol a ddynodai'r person cyntaf unigol. Nid fel hyn yr
ystyriwn y gair *caraf* yn gyffredin, ond fel *car-af*, achos i
ni bellach *-af* yw terfyniad y person cyntaf unigol, ac fe'i
rhown yn hwylus at unrhyw ferf a fynnwn. Er engh-
raifft, daeth y ferf Almaeneg *strafen* " cosbi " yn gyffredin
iawn ym myddin Prydain yn ystod y rhyfel, a gallwn yn
hawdd ddychmygu milwr o Gymro'n dweud " Fe'i
straffa' i e' pan ga'i afael ynddo." Byddai *straffaf* gystal
berf Gymraeg iddo â *cosbaf*. Awn yn ôl i lenyddiaeth
weddol gynnar yr Oesau Canol a chawn nad *-af* oedd yr
unig derfyniad. Gwelwn ychydig olion o'r terfyniad *-if*.
Prin iawn yw'r enghreifftiau, mae'n wir, ond fe'u ceir,
megis *cwynif* am *cwynaf*, *dygif* am *dygaf*, *cenif* am *canaf*, a
gwnëif am *gwnäaf* neu *gwnaf*. Mae'n amlwg bod *-if* i'w
olrhain yn ôl i *-ī-*, sef llafariad y bôn, ac *-f-*, gweddill yr
hen derfyniad a gynhwysai'r gytsain *m*. Felly dyma i ni
ddau ddosbarth o ferfau o leiaf, y naill yn ychwanegu *a* at
y gwreiddyn i ffurfio'r bôn, a'r llall yn ychwanegu *ī* ato.
Pan eir i gymharu'r ferf Hen Wyddeleg gwelir peth
tebyg yno. Ond yr oedd y ffurfiau hyn yn *-if* ar dranc
yn gynnar yn yr Oesau Canol yn Gymraeg, ac erbyn
hyn llwyr ddiflanasant. Cafwyd yr un terfyniad *-af* yn
ddigon hwylus at y pwrpas, glynwyd wrtho ar draul

53

popeth arall bron yn ddieithriad. Dyma enghraifft
eto o'r symlhau a welsom yn digwydd o hyd.

Symudwn at y trydydd personol unigol o'r un amser
a modd a chawn fwy o amrywiaeth lawer. Heddiw ceir y
bôn yn syml, megis *gall*, neu'r bôn a'r llafariad wedi
newid, megis *geill* ; os bydd y bôn yn diweddu yn *-ha-*,
megis *bwytâf* (o *bwyd-ha-af*), ceir *bwyty*. Hefyd ceir rhai
ffurfiau â'r terfyniad *-a*, megys *cosba*, *metha*, *rhodia*.
Eithr yn gynharach ceid terfyniadau eraill nad arferir
monynt mwyach. Yn ymyl *tyf* ceid *tyfid*, o gyffelyb
ystyr ; heblaw *â* ceid *eyd* ; ceid *byddawd* yn ogystal â
bydd. Mewn darn a sgrifennwyd yn y ddegfed ganrif
digwydd y ffurf *egid* a roesai'n ddiweddarach *ëydd*, yn
golygu *â*. Felly dyma bedwar terfyniad, *-id*, *-yd*, *-awd*,
-ydd, i'r trydydd person unigol sy wedi darfod yn llwyr.
Dengys y rhain fod y gyfundrefn ferfol y daeth y ferf
Gymraeg ohoni yn llawer mwy cymhleth nag yw hi'n
awr, a dweud y lleiaf. Nid yw'n anodd deall sut y goll-
yngwyd rhai o'r terfyniadau hyn chwaith. Yr oedd *-id* ac
-yd gynt yn derfyniadau y trydydd person unigol o'r
modd gorchmynnol, a digwydd enghreifftiau ohonynt
yn y trydydd unigol o'r amser gorffennol. Heblaw
hynny gallai *-id* fod yn derfyniad ffurf amhersonol yr
amser amherffaith a'r amser gorffennol. Y diwedd fu
colli *-id* ac *-yd* fel terfyniadau personol drwodd, a chadw
-id yn unig yn ffurf amhersonol amherffaith y ferf. Eto,
-ydd oedd terfyniad ail berson unigol yr amser presennol,
fel y Cernyweg *-yth* a'r Llydaweg *-ez*. Felly gallai *ëydd*
olygu *ei* ac *â*. Ond cysegrwyd *-ydd* i'r ail berson yn unig,
ac wedi iddo fwrw'r *dd* cafwyd y terfyniad *-y* sydd erbyn
erbyn hyn wedi troi'n *-i*. Erbyn heddiw, yn lle bod
gennym, er enghraifft, y tair ffurf gyfystyr *eyd* *eydd* ac *â*
nid oes gennym ond yr olaf yn unig.

Cymerwn un ffurf arall, sef trydydd person unigol yr
amser gorffennol neu berffaith. Y terfyniad safonol
heddiw yw *-odd*, yn y ferf reolaidd. Ond yn nhafodiaith
Morgannwg a Gwent ceir *-ws*. Mewn rhai berfau ceir

-*es* hefyd, hyd yn oed yn yr iaith safonol, er enghraifft *rhoddes, troes*. Mae'r terfyniadau hyn ag *s* ynddynt yn llawer iawn hŷn na'r terfyniad -*odd*. Yn wir nid yw -*odd* ond rhyw newyddian haerllug ! Yn yr iaith Indo-Ewropeg un o'r dulliau o lunio amser gorffennol y ferf oedd ffurfio bôn drwy ychwanegu *s* at y gwreiddyn, ac yna wrth gwrs ychwanegu terfyniadau personol at y bôn hwn. Etifeddwyd y dull hwn gan yr ieithoedd Celtaidd, ac felly yr oedd gan y rheini rai berfau â bôn yr amser gorffennol yn diweddu yn *s*. Ni ddigwyddai hynny gyda phob berf, o gryn lawer, ond erbyn i ni ddod at yr iaith Gymraeg cawn fod y dull hwn wedi lledu ac wedi ei dderbyn fel y pennaf i ffurfio bôn yr amser gorffennol. Disgynnydd yr *s* hon sydd gennym ni heddiw mewn geiriau fel *cerais carasoch*, neu *cefais cafas*. Cofier nad wyf yn honni bod unrhyw un o'r ffurfiau hyn i'w holrhain yn ôl yn gyson i ryw fam ffurf yn yr iaith gysefin. Nid yw hynny'n wir o bell ffordd. Y cwbl a ddywedaf yw ei bod yn bur sicr bod nifer sylweddol o ferfau yn yr amser gorffennol ag *s* yn eu bôn, bod yr *s* honno gydag amser wedi ei chymryd fel nod arbennig i'r amser hwn, ac yna fod ffurfiau ag *s* wedi dod yn ffasiwn yn yr amser gorffennol. O'r ffynhonnell hon drwy amrywiol ffyrdd y tarddodd yr *s* a ddefnyddiwn ni heddiw yn y ffurfiau gorffennol, ac ohoni hi hefyd y cafwyd yr *s* a geir o hyd yn fyw yn -*ws* Morgannwg a Gwent. Pan ddarllenwn Gymraeg y cyfnod canol gwelwn ar unwaith mor gyffredin yw'r ffurfiau ag *s* yn y trydydd person, ac yn arbennig -*wys* neu -*ws*.

Mewn berfau eraill ychwanegid y terfyniadau personol yn union at wreiddyn y ferf yn yr iaith Indo-Ewropeg i ffurfio'r amser gorffennol. Yr un oedd y bôn a'r gwreiddyn felly. Cynhwysai terfyniad y trydydd person unigol y gytsain *t* ar ei ddechrau, a phetai gwreiddyn y ferf yn diweddu mewn *r*, er enghraifft, rhoddai *rt* fel y gwelsom eisoes *rth* yn Gymraeg. Enghraifft o hyn yw'r ferf Gymraeg *cymerth*. Pe diweddai'r gwreiddyn mewn

55

c ceid *t* yn troi'n *th* a'r llafariad o'i blaen yn troi'n ddipton. Hynny a welir yn y ferf *aeth*, yn ymyl *af* neu *â*. Er mai i'r trydydd person unigol yn unig y perthynai *t* yn wreiddiol, fe'i cymerwyd serch hynny gydag amser fel nod yr amser gorffennol, ac fe'i lledwyd i bersonau eraill y ferf. Yn wir fe'i rhoddwyd i ferfau na pherthynent i'r dosbarth hwn o gwbl. Enghreifftiau o'r olaf yw'r hen ffurf *cant* " canodd," a *gwant* " gwanodd." Ymhellach, yn y pâr *cefais cafas*, y gwahaniaeth rhwng y person cyntaf a'r trydydd yw bod y llafariaid wedi eu newid yn y blaen- af. Achoswyd hynny yn y person cyntaf, yn y pen draw, gan lafariad yr hen derfyniad sy bellach wedi colli. Gydag amser daeth y cyfnewid llafariaid hyn yn hwylus i wahaniaethu rhwng y personau hyn, hyd yn oed pe na bai'r ferf arbennig a ddefnyddid yn perthyn i'r dosbarth lle y digwyddai hynny. Mewn geiriau eraill, parai'r llefarwyr i'w berfau ddilyn y ffasiwn. Felly gydag amser ar ôl cael *cant* a *gwant* yn drydydd person unigol, cafwyd *ceint* " cenais," a *gweint* " gwenais," y ddwy yn digwydd yn ein llenyddiaeth. Ar sail hyn, gallem yn naturiol ddisgwyl cael *eith* yn y person cyntaf i gyfateb i *aeth*. Nid yw *eith* yn hysbys, ond fe ddigwydd y ffurf gyfansawdd *ymddeith* yn golygu " ymdeithiais." Wedyn, cafwyd yn Gymraeg y terfyniad *-um* i berson cyntaf unigol gorffen- nol rhai berfau, megis *bûm* o *buum*, a *dugum* " dygais," er bod ei darddiad yn dywyll. Am ryw reswm ychwanegwyd y terfyniad hwn at y berfau hyn â *t* yn ei ffurf amser gorffennol, ac felly cawn *ceintum* " cenais " yn ein hen farddoniaeth. Rhodder ef wrth y ffurf *eith* a cheir *eithum* ; yna affeithiodd *u* y sillaf olaf yr *ei* yn y goben i *eu*, a dyna'n ffurf ni heddiw, *euthum*. Yr un modd yn ddiau y lluniwyd *gwneuthum*. Eto, yn y berfau ag *-um* yn diweddu'r person cyntaf ceir *-ost* yn yr ail berson. Lledodd hwn yntau dros y berfau yn *t*, a chawn ffurfiau fel *gwneuthost* yn ein barddoniaeth gynnar, a hefyd *ceuntost* " cenaist." Nid yw'r rhain ond ffurfiau gwneud a'r gwneud hwnnw'n bur amharchus o " reolau " seinegol. Er enghraifft, sut yr esboniwn yr *eu* yn *ceuntost* ac yn *gwneuthost* ? Nid ar dir affeithiad seiniau o gwbl, ond am fod *gwneuth-* wedi dod i fod yn *gwneuthum* o *gwneith-um*, ac am fod *ceintum* yn ddiau wedi troi'n *ceuntum* er nad oes gennym enghraifft o'r ffurf. Yr ydym yma'n cael cipolwg ar yr iaith yn llawn egni bywyd yn mynnu ei ffordd ei hun.

Yr oedd dosbarth arall o ferfau a ffurfiai eu hamser gorffennol drwy gyfnewid llafariad y gwreiddyn. Er enghraifft, gallai'r llafariad *ĕ* fod yn y gwreiddyn yn yr amser presennol, ond yn yr amser gorffennol ceid *ō* neu *ā*. Ablawt yw'r enw a roes yr Almaenwyr i gyfnewid fel hwn, ac fe'i gwelir mewn berf fel *bear bore* yn Saesneg. Gallwn roi enghraifft neu ddwy o'r Gymraeg hefyd yn y cyfnod canol. Fe gofiwn fod hen *ō* neu *ā* wedi rhoi *aw* yn Gymraeg. Yn ôl y dull hwn cawn *gwared* ag *e* yn y presennol, a *gwarawd* '' gwaredodd '' ag *aw* o *ō* neu *ā* yn y gorffennol. Yr un modd cawn *e* yn *dywed-af* ond *aw* yn *dywawd* '' dywedodd.'' Cynrychiolydd yr olaf ar lafar heddiw yw *dŵad*. Eto, cawn *goddiwedd-af* yn y presennol a *goddiwawdd* yn y gorffennol. Mae'n bur sicr mai o ferf fel yr olaf y cafwyd yr *-awdd* a ddaeth yn derfyniad safonol trydydd person unigol yr amser gorffennol heddiw yn y ffurf *-odd* ; torri darn o gorff gair, fel petai, a'i droi'n gynffon i luoedd o eiriau.

Mae'n hen bryd bellach inni roi terfyn ar y rhan hon o'n hymdriniaeth. Yn yr holl gyfnewidiadau y buom yn delio â hwy gwelir dau beth, sef dinistrio a chreu. Gwelsom yr hen iaith yn malurio a'i gwisg yn treulio allan, a'r iaith newydd yn llunio cymeriad iddi ei hun. Yr oedd yn rhaid wrth gyfnod hir o amser i hyn oll ddigwydd, ac mae'n bwysig iawn cofio hynny. Mae'n sicr bod rhai o'r tueddiadau y soniwyd amdanynt yn gyffredinol i gorff mawr y bobl a siaradai Frythoneg, tra yr oedd eraill yn ddiau yn lleol. Gwelsom fod y cyfnod Rhufeinig wedi creu amgylchiadau a oedd yn sicr o effeithio'n ddirfawr ar yr hen iaith frodorol ac o brys-

uro'i hadfeiliaid.   Sefydliad anrhufeinig os nad gwrth-
rufeinig oedd y Frythoneg yn y cyfnod hwnnw.   Eithr
pan newidiodd amgylchiadau ddechrau'r bumed ganrif
daeth cyfle'r " hen iaith " unwaith eto, ond erbyn hynny
nid heniaith mohoni mwy, ond iaith newydd, wedi
bwrw ymaith yr hen wisg ac wrthi'n brysur yn llunio
gwisg newydd. Diflannodd amrywiol ffurfdroadau
cywrain a chymhleth yr hen iaith o dipyn i beth, yn
niffyg traddodiad cymdeithas awdurdodol a llenydd-
iaeth ysgrifenedig, a phan ddaeth tro ar fyd dechreuwyd
ailgodi adeilad ag iddo'i gywreinrwydd newydd ei hun.
Ar yr un pryd rhaid cofio na ddarfu swyn nac urddas yr
iaith Ladin er i'r ymerodraeth ddiflannu. Yn wir ni
ddarfuant eto.   Felly cawn gerrig coffa i Gymry ymhell
ar ôl y cyfnod Rhufeinig ag arnynt arysgrifau Lladin—
Lladin o fath.   Ystumiwyd enwau'r Cymry hyn i ffurf
debyg i'r hyn a fyddent yn Lladin, a hefyd wrth gwrs yn
Frythoneg, megis *Catamanus* am *Cadfan*, a *Brohomagli* am
Brochfael (diweddarach *Brochwel*).   Nid ffurfiau iaith
fyw'r cyfnod yw'r rhain, ond hen ffurfiau wedi eu cadw
at amcanion seremonïol.   Byddai tybied mai'r ffurfiau
hyn a arferid ar lafar yn gyffredin yn y cyfnod hwnnw
yn yr ardaloedd lle y digwyddant, a bod yr iaith lafar o
hyd yn glynu wrth yr hen ffurfdroadau cyntefig fel pe
credai dyn wrth fynd ar drên y Mwmbwls heibio i geno-
taff Abertawe, er enghraifft, mai Lladin yw iaith gyff-
redin y dref yn y ganrif hon.   Yr iaith lafar fyw oedd
ffurf ddirywiedig ar yr hen Frythoneg y buom yn astud-
io'i thyfiant.   Yr oedd y dirywiad yn gyffredinol dros
orllewin a gogledd yr ynys, o Gernyw i ddeau Ysgotland
(i ddynodi'n fras y rhan oedd yn Frythoneg ei hiaith gan
mwyaf drwy'r cyfnod Rhufeinig.)

Yn y bumed ganrif, peidiodd Prydain â bod yn dalaith
Rufeinig, ac ymwelodd gelynion newydd â hi, sef y
Sacsoniaid.   Dan bwys ymosodiadau'r gelynion grymus
hyn ymfudodd Brythoniaid o Gernyw i Lydaw, gan ddwyn
eu hiaith gyda hwy, yn gyntaf yn y bumed ganrif, ac eto

yn niwedd y chweched a dechrau'r seithfed. Yn 577 enillodd y Sacsoniaid fuddugoliaeth ym mrwydr Deorham, ac aeth Caerloyw'n ysglyfaeth iddynt. Felly darfu'r cysylltiad ar dir rhwng Brythoniaid Cymru a Brythoniaid Cernyw. Yr oedd yr ysgariad hwn yn ddigon i beri bod yr iaith fel y siaredid hi ar y ddau tu i Fôr Hafren yn tyfu bellach mewn dwy ffordd wahanol. Yng Nghymru gwyddom fod llawer o Wyddelod wedi croesi o Iwerddon ac ymsefydlu, a hefyd nid Brythoniaid o waed oedd y Siluriaid yng Ngwent, beth bynnag oedd eu hiaith. Yn nechrau'r bumed ganrif daeth nifer o Frythoniaid o ddeau Sgotland dan arweiniad Cunedda i Gymru, a dengys hanes inni'r rhan amlwg a chwaraeodd disgynyddion Cunedda ym mywyd y wlad. Cadwasant eu cysylltiad yn hir â'u perthnasau yn y Gogledd pell, gan gydymladd â hwy yn erbyn y Saeson. Ym mhoethder yr ymladd hwn teimlasant mai un bobl oeddynt, a chymerasant enw newydd arnynt eu hunain, sef y Cymry. Eu hiaith hwy yn wreiddiol yw'r iaith Gymraeg. Rhwygwyd yr unoliaeth dirol rhwng trigolion Cymru a'u tylwyth yn y Gogledd gan fuddugoliaeth y Saeson ym mrwydr Caerlleon Fawr yn gynnar yn y seithfed ganrif. Parhaodd yr iaith am ganrifoedd yn y gogledd ond bu farw yn y diwedd. Yng Nghymru ar y llaw arall tyfodd a chryfhaodd. Buom yn bwrw golwg ar y modd y tyfodd ohoni ei hun ac ynddi ei hun, fel petai. Gwelsom fel y bu amgylchiadau gwladol a gwleidyddol yn gymorth iddi ar ei threigl o'i mamiaith Frythoneg ymlaen. Yn awr rhaid i ni droi at agwedd arall i'r dylanwad a fu gan yr amgylchiadau hyn arni hi.

BENTHYCA O'R LLADIN

YR oedd trigolion yn Ynys Prydain ymhell cyn i'r Celtiaid cyntaf ddod iddi, ac yr oedd gan y rheini iaith. Ni pherthyn i ni ymdrin yn y llyfr hwn â'r broblem anodd o geisio penderfynu'n fanwl pwy oeddynt na pha beth oedd eu hiaith. Mae'n debyg nad iaith Indo-Ewropeg mohoni, ac felly ei bod yn bur wahanol i iaith y Celtiaid. Mae'n sicr hefyd fod y Celtiaid yn drech ymladdwyr na'r cyn-frodorion, a bod eu gwareiddiad yn uwch lawer nag eiddo'r hen drigolion cyntefig. Darostyngwyd yr ynys i raddau helaeth iawn gan y Celtiaid, ac yn y diwedd llwyr ddifodwyd iaith y cyn-frodorion, beth bynnag oedd honno. Yn y ganrif gyntaf o'r cyfnod Cristnogol daeth y Rhufeinwyr i Ynys Brydain. Yr oeddynt hwythau'n drech ymladdwyr na'r Brythoniaid a gawsant yno, a'u gwareiddiad yn uwch na gwareiddiad y Brythoniaid. Gwelsom eisoes pa fodd y disodlwyd yr iaith Frythoneg yn nwyreinbarth yr ynys gan yr iaith Ladin, yr iaith yr oedd holl awdurdod a thraddodiad ac urddas Ymerodraeth Rhufain y tu ôl iddi. Gwelsom hefyd i'r Frythoneg ddal ei thir yn y rhan arall o'r ynys. Yr oedd y rhan honno'n bellach o lygad y ffynnon neu o ganolbwynt yr awdurdod. Ni chafodd gwareiddiad Rhufain gystal cyfle yno i orlifo'r hen wareiddiad, oherwydd ni allodd y bywyd ymerodrol ymsefydlu mor llwyr nac mor sicr esmwyth ag i allu hudo'r Brythoniaid i'w dderbyn yn ei grynswth a llacio'u gafael yn yr hen fywyd a'r cwbl a berthynai iddo. Un o bethau'r hen fywyd hwnnw a gadwyd ganddynt drwy'r cwbl ydoedd eu hiaith eu hunain.

Eithr nid oedd Brythoniaid y gorllewin a'r gogledd heb wybod llawer iawn am bethau'r Ymerodraeth. Cawsant ddigon o gyfle i weld ei byddinoedd hi ac i sylwi ar waith ei milwyr, nid yn unig mewn brwydrau, ond hefyd yn yr ysbeidiau hir o heddwch pan fyddai'r Rhufeinwyr wrthi'n brysur yn sicrhau eu gafael. Gwelent hwy'n codi eu hamddiffynfeydd a'u tai. Mewn ardaloedd a fyddai'n fwy heddychol na'i gilydd, a lle nad oedd perygl mawr o gythrwfl a chynnwrf, ac felly lle'r oedd bywyd y milwyr yn weddol sefydlog, câi'r gwladwyr Brythonig fwy o gyfle byth i sylwi ar ddull y Rhufeinwyr o fyw. Gwelent lestri tŷ oedd yn newydd iddynt neu'n hollol wahanol i'r hyn y buasent hwy cyn hynny'n gyfarwydd â hwy. Pan fyddai'r Rhufeinwyr hyn yn trin y tir ac yn troi'n ffermwyr gwelid ganddynt offer ffasiwn newydd. Yn awr ni allai'r Rhufeinwyr yn hawdd gadw pob gwybodaeth am yr holl bethau hyn iddynt eu hunain, hyd yn oed pes mynnent. Nid oedd dim yn fwy naturiol nag i'r Brythoniaid gynefino â hwy ac yn wir eu chwennych a'u cael iddynt eu hunain. Fel yn y stori am yr hen frawd o lowr hwnnw flynyddoedd yn ôl yn cwyno bod rhywun wedi dwyn ei raw dan y ddaear, ffrind yn gofyn iddo " Pam na rowch chi'ch enw arni ? " ac yntau'n ateb, " Mân' nhw'n dwgyd yr enw a chwbwl," felly cymerai'r Brythoniaid y pethau Rhufeinig a'u henwau Lladin gyda hwy.

Nid yn unig ar ochr faterol bywyd, chwaith, y câi'r Brythoniaid wybodaeth newydd gan y Rhufeiniaid. Yn yr ardaloedd lle daeth gallu'r ymerodraeth yn weddol sefydlog, mae'n sicr bod llawer o'r Brythoniaid wedi cymryd lle go flaenllaw yn y bywyd gwladol, yn arbennig yn y gogledd pell, er bod yno o hyd, efallai, beth o'r hyn a ellir ei alw yn ysbryd neu'n frwdfrydedd Brythonig. Rhoent enwau Lladin ar eu plant, a diau eu bod yn manteisio ar bob cyfleustra a estynnid iddynt hwy ac i'w plant i ddod ymlaen yn y byd. Golygai hynny ddysgu Lladin, ei siarad a'i darllen a'i sgrifennu. Ni allai hynny lai nag ehangu cylch eu gwybodaeth, a byddai'r hyn a ddysgent hwy yn lledu'n ddigon naturiol i blith y bobl gyffredin o'u hamgylch, llawer ohonynt bellach yn bobl

ddwyieithog. Nid oes angen manylu i ddangos pa mor
hawdd fyddai i'r geiriau a ddysgid yn yr iaith newydd, yr
enwau y deuid i'w gwybod oblegid y profiadau a enillid
dan gysgod gwareiddiad yr ymerodraeth, lithro'n ddiar-
wybod braidd i gorff yr hen iaith, sef y Frythoneg oedd
erbyn hyn yn prysur newid. Ymhellach, daeth mudiad
newydd i'r wlad yn sgil yr ymerodraeth oedd i chwyddo'n
fawr gyfanswm y geiriau hyn. Y mudiad hwnnw oedd
Cristnogaeth. Yng ngorllewin Ewrob, iaith yr ymer-
odraeth oedd iaith y grefydd newydd. Yn Lladin felly y
deuid gyntaf i wybod ei dirgelion hi a hefyd i wybod am
holl gyfundrefn yr eglwys a'i taenai hi drwy'r gwledydd.
Yr oedd gan yr eglwys ei swyddogion, ei seremonïau a'i
harferion, ei horiau a'i gwyliau. Yr oedd y rhain gan
mwyaf yn bethau newydd a dieithr, ac yr oedd yr enwau
arnynt hefyd yn newydd. Cafodd Cristnogaeth sicrach
gafael yn y pen draw ar y bobl gyffredin nag a gawsai'r
ymerodraeth, ac ni laciodd ei gafael. Bu'r eglwys
Gristnogol felly yn foddion i drosglwyddo lliaws mawr o
eiriau Lladin i'r iaith Frythoneg.

Dylid cofio bod y corff o eiriau y soniwyd amdanynt
hyd yn hyn wedi eu benthyca yn gynnar iawn, sef yn
ystod y cyfnod hwnnw pan oedd y Frythoneg yn graddol
newid a throi'n iaith newydd. Derbyniwyd hwy i'r
Frythoneg pan oedd hi'n ymnewid, ac felly newidiasant
hwythau'n bur agos yn yr un modd ag y newidiodd
geiriau cartref y Frythoneg ei hun. Cawn fanylu ym-
hellach ar y cyfnewidiadau hyn yn y man, ond cyn
gwneud hynny gwell fyddai sôn am agwedd arall ar y
mater, sef ar y geiriau benthyg a gymerwyd o'r Lladin
yn syth i'r Gymraeg. Nid yw bob amser yn hawdd
gwahanu rhwng yr olaf a'r blaenaf, sef rhwng y geiriau
Lladin a etifeddodd y Gymraeg ei hun, yn syth o'r Lladin
a'r geiriau Lladin a ddaeth i'r Gymraeg o'r Frythoneg.
Peth pwysig arall hefyd, nid ar ddechrau ei gyrfa yn unig
y benthyciodd y Gymraeg eiriau gan y Lladin. Mae'n
sicr i lawer iawn o eiriau lifo iddi o'r Lladin pan nad

oedd hi eto ond math o fratiaith Frythoneg neu Frython-
eg ddirywiedig. Mae'r un mor sicr iddi ddal i fenthyca
wedi iddi fagu urddas iddi ei hun fel iaith lenyddol.
Ond parhaodd i dderbyn i'w chyfansoddiad eiriau Lladin
ar hyd y canrifoedd, ac mae hynny'n arbennig wir am
eiriau eglwysig a chrefyddol, fel y gellir yn hawdd ddeall.
Eithr mae gwahaniaeth pwysig a phendant rhwng geiriau
o'r dosbarth olaf hwn a geiriau'r dosbarthiadau eraill y
soniwyd amdanynt. Y mae arnynt arwyddion clir iawn
sy'n dangos mai dyfodiaid cymharol ddiweddar i'r iaith
ydynt, lawer ohonynt. Er mwyn inni gael syniad am yr
arwyddion hyn o ddiweddarwch, efallai y byddai'n
hwylus yn awr inni geisio cael golwg ar y cyfnewidiadau
a ddigwyddodd yn y benthyciadau cynnar y cyfeiriwyd
atynt. I wneud hynny rhaid inni eto fwrw'n golwg yn
ôl ar ddefnydd seinyddol yr iaith Frythoneg, hyd yn oed
ar draul ailadrodd weithiau beth a ddywedwyd o'r blaen.

Cymerwn yn gyntaf y llafariaid. Nid oes angen inni
aros yn hir gyda'r llafariaid byr. Yr oedd pump
ohonynt yn y Frythoneg, sef *ă ĕ ĭ ŏ ŭ* (h.y. *w*), ac yr oedd
yr un rhai yn y Lladin. Felly pan fenthycid gair Lladin
ag ynddo un o'r llafariaid hyn, ni châi'r Brython anhaw-
ster yn y byd i'w gynanu. Gallai er enghraifft ddweud y
gair Lladin *grădus* mor hawdd â'i air cartref ei hun
cătus. Gan nad oedd sain yn un o'r geiriau hyn a barai
newid yr *ă* fer, cadwyd hi'n ddigyfnewid pan wisgodd y
geiriau eu gwedd newydd Gymraeg sef *gradd* a *cad*. Yn
unig newidiodd y llafariad ei hyd yn y ffurf Gymraeg,
yn yr enghreifftiau hyn a'u cyffelyb. Y mae hynny'n
wir bob amser mewn gair Cymraeg unsill pan ddilynid y
llafariad fer gynt gan un gytsain yn unig. Ond gyda
gair fel y Brythoneg *mărcos* neu'r Lladin *ărca* cedwir y
llafariad yn fer yn y geiriau Cymraeg *march* ac *arch* a
ddaeth ohonynt. Eto gwelsom fod y ffurf Frythoneg
rĭtu wedi rhoi *rhyd* yn Gymraeg ; felly cawn y Lladin
fĭdes yn rhoi *ffydd* yn Gymraeg. Daeth *hen, rhod* a *trwm*
o'r Brythoneg *sĕnos, rŏta,* a *trŭmbos ; cell, porth* a *pwdr* o'r

64

Lladin *cella, portus* (neu *porta*, neu *porto*) a *pŭtris*. Ymhell-ach, gwelwyd bod y Brythoneg *brĭccos* wedi rhoi'r Cym-raeg *brych*, ond bod *brĭcca* wedi rhoi *brech*. Felly hefyd rhoes y Lladin *sĭccus* y ffurf *sych*, ond *sĭcca* y ffurf *sech*. Am yr un rheswm o'r Brythoneg *trŭmba* cafwyd *trom*, ac o'r Lladin *colŭmna* y Gymraeg *colofn*. Gellid yn hawdd ychwanegu at yr enghreifftiau hyn o gyffelyb gyfnewid-iad y llafariaid byr Brythoneg a Lladin yn y Gymraeg wrth ymdrin yn fanylach â'r modd y newidir llafariad fer gan y sain neu'r seiniau a'i dilynai. Ond y peth sy'n bwysig i ni yma yw'r egwyddor gyffredinol fod y llafar-iaid byr Lladin a fenthyciwyd i'r iaith gartref wedi datblygu yn y Gymraeg yn yr un modd yn hollol ag eiddo'r Frythoneg. Ond diflannodd *u* fer o *Iudeus*, canys Iddew yw'r ffurf Gymraeg arno. Troes y Lladin *i̯u-* yn *i* yn Gymraeg fel yr hen *i̯u-* Frythoneg, megis mewn gair fel *Idris*, yn hŷn *Iudris*.

Pan drown at y llafariaid hir Lladin cawn fod pethau'n bur wahanol. Fe gofiwch inni weld (td. 30) bod hen *ō* wreiddiol wedi uno ag *ā* yn y Frythoneg (ag eithrio yn y sillaf olaf, lle y troesai'n *ū*) a bod hen *ē* wreiddiol a seinid yn gae ëdig wedi rhoi *ī* Frythoneg (td. 30). Felly nid oedd yn y Frythoneg ond tair llafariad hir, sef *ā*, *ī* ac *ū*. Ond yr oedd pum llafariad hir yn Lladin, sef *ā*, *ē*, *ī*, *ō* ac *ū*. Yn wir, nid yr un sain yn hollol oedd i'r *ū* Frythoneg ag i'r *ū* Ladin. Yr oedd yr olaf yn unsain a'r *ŵ* Gymraeg bresennol, eithr yr oedd y flaenaf eisoes wedi dechrau rhyw lacio i gyfeiriad sain fel yr *u* ogleddol heddiw ond gyda'r gwefusau'n grwn. Gwelsom i hon yn Gymraeg roi *i*, megis *din*(as) o *dūnon*. Felly mewn gwirionedd *ā* ac *ī* oedd yr unig lafariaid hir yn y Frythoneg i gyfateb â'r llafariaid hir Lladin. Arhosodd *ī* yn *i* yn Gymraeg, ac felly cawn *rhif* yn Gymraeg o air Brythoneg yn dech-rau yn *rīm-*, a *gwin* yn Gymraeg o'r Lladin *uīnum*. Rhoes *ā* y Frythoneg a'r Lladin *aw* (*o*) yn Gymraeg, megis y Brythoneg *brāter* yn rhoi *brawd*, a'r Lladin *fātum* y Gymraeg *ffawd*. Gwelsom hefyd (td. 30) fod *ei* wreiddiol

wedi troi'n $\bar{e}$ yn y Frythoneg, a seinid $\bar{e}$ Ladin yn debyg
iddi. Yr un fu tynged y ddwy yn Gymraeg, sef troi'n
wy. (Mae'n bur debyg nad yr un oedd hon a'r *ei*
Gymraeg heddiw canys mae'r ddipton hon bellach â
sain debycach ynddi i *y* dywyll nag i *e*. Yr oedd yr hen
ei wreiddiol yn debyg i'r ddipton a glywir yn y gair
Saesneg *day*, na all llawer o Gymry mo'i gynanu'n iawn,
ond ei droi'n *dê*). Felly rhoes y Brythoneg *rēdos* (o
reidos) yn Gymraeg *rhwydd*, a'r Lladin *rēte*, *cēra* y geiriau
Cymraeg *rhwyd*, *cwyr*. Hefyd cynenid $\bar{o}$ Lladin, yn ôl
pob tebyg, fel y ddipton Frythoneg *ou* (sef *ow*), a throes
yn *u* yn Gymraeg yn union fel y gwnaeth *ou* o flaen
cytsain. Cafwyd o'r Brythoneg *roudos* y gair Cymraeg
rhudd, ac o'r Lladin *fōrma* ac *ōrdo* y geiriau Cymraeg *ffurf*
ac *urdd*. Ond nid *ur* a roes y Lladin *hōra*, eithr *awr*.
Yma gwelir i $\bar{o}$ Ladin roi *aw* Gymraeg ; hynny yw, yn yr
enghraifft hon, am ryw reswm, datblygodd yr $\bar{o}$ Ladin yn
union fel y gwnaethai'r $\bar{o}$ Indo-Ewropeg. Eto gwelsom
fod $\bar{o}$ wreiddiol ar ddiwedd gair wedi troi'n $\bar{u}$, a bod
honno'n y diwedd wedi mynd yn $\bar{i}$, er enghraifft *ŭrăcō*,
ŭrăcū, *ŭrăcī*, *gwraig*, a'r $\bar{i}$ ddiweddol yn affeithio'r $\breve{a}$ o'i
blaen a'i throi'n *ei*. Cawn enghraifft o'r un peth yn y gair
Lladin *lătrō*, a ddatblygodd mewn cyffelyb fodd nes rhoi
yn y diwedd y ffurf Cymraeg *lleidr*. Fel yr $\bar{o}$ Ladin,
rhoes $\bar{u}$ (h.y. $\hat{w}$) Ladin y llafariad *u* yn Gymraeg, megis
pūrus pur, *mūrus mur*.

Yr oedd gan y Lladin hithau ei diptoniaid, a dylid
sylwi'n fyr ar y modd y datblygodd y rheini i'r Gymraeg.
Cymerwn *au* (h.y. *aw*) yn gyntaf. Fe gawn fod y ddip-
ton Indo-Ewropeg *au* wedi mynd yn un ag *ou* (sef *ow*) yn
y Frythoneg, ac o flaen cytseiniaid wedi rhoi *u* yn
Gymraeg, ond o flaen llafariaid wedi rhoi *eu* neu *au* yn
Gymraeg fel rheol, megis *cadau* o *catoues*. Ceir enghreiff-
tiau o *au* (*aw*) Ladin yn rhoi *eu* neu *au* yn Gymraeg,
megis *cauus cau*, *cauitātem ceudod*, *Mauricius Meurig*.
Digwydd yr olaf yn Llyfr Llandaf mewn ffurf Hen
Gymraeg, sef *Mouric*. Dengys hyn mai *ou* (h.y. *oy*) oedd

yr hen ffurf ar y ddipton, a bod *ou* yn ddiweddarach wedi rhoi *eu* ac yna yn y sillaf olaf *au*. Felly hen ffurf wedi parhau'n ddigyfnewid yw *cou* a glywir o hyd ar lafar am y ffurf lenyddol *cau*. Gellir ychwanegu ffurfiau fel *dou cnou houl*. Eto ceir yn Llyfr Llandaf yr enw Hen Gymraeg *Poul*. Pe cadwasid y ffurf, cawsem *Peul* yn y cyfnod canol (ceir enw *Teleri merch Peul* yn stori Culwch ac Olwen), a *Paul* heddiw (i odli â *haul*). Yn wir gwelir y ffurf hon yn yr enw *Llanbeulan*, lle y mae *Peulan* yn fachigyn o *Paul* (ag *au* Gymraeg). Ond *Pawl* yw'r ffurf gyffredin yn y cyfnod canol. O'r Lladin *Paulus* y daw'r ddwy ffurf wrth gwrs. Felly gwelwn yma fod y ddipton Ladin *au* wedi cadw ei sain briod yn y Gymraeg yn ogystal, sef *aw*. Ceir enghreifftiau eraill, megis *cawl* o'r Lladin *caulis*, neu *awdur* o *autōr-em*. Ni bydd *aw* fel hon byth yn troi'n *o* yn Gymraeg, fel y bydd *aw* o *ā*, megis *ffodus* a luniwyd o *ffawd*, neu *brodyr* o *brawd*. Dylid dweud hefyd fod *aw* yn digwydd yn Gymraeg o hen ddipton wreiddiol yn diweddu yn y sain *w*, megis *llawen, llawer, naw, taw*. Mae esbonio ffurfiau fel hyn yn dasg anodd, a rhaid i ni fodloni yma ar alw sylw yn unig atynt wrth fynd heibio.

Yr oedd yn Lladin hefyd y ddipton *ae*, a aeth yn ddiweddarach yn *e* agored debyg i'r *e* fer Gymraeg. Gwyddom fod y ddipton *ai* yn bod yn Indo-Ewropeg, a chymerwyd honno i'r Gelteg ac yna i'r ddwy gangheniaith. Y ffurf Gymraeg arni yw *oe*, fel yn *coeg* a gyfetyb i'r Gwyddeleg *caoch* (hŷn *cáech*) a'r Lladin *caecus*. Ystyr yr ansoddair Lladin yw " dall, tywyll," a golyga " dall " ac " unllygeitiog " yn yr Wyddeleg hefyd. Ond ceir *cnó caoch* yn yr Wyddeleg fel y ceir *cneuen goeg* yn Gymraeg. Mae'r gair *Groeg* yn enghraifft weddol sicr o'r ddipton Ladin *ae* yn rhoi *oe* yn Gymraeg ; ffurf Ladin y gair yw *Graeca*. Ar y llaw arall ceir *e* yn Gymraeg yn cyfateb i'r Lladin *ae*, megis *pregeth* o *praeceptum* (drwy *precettum*) neu *preseb* o *praesaepe*, ond mewn enghreifftiau fel hyn y mae'n ddiau bod y ffurf Ladin a fenthyciwyd ag *e* ynddi'n barod am yr *ae* hŷn. Cadwyd *oe* Ladin yn y Gymraeg *poen* o *poena*.

Mewn rhai geiriau Cymraeg a fenthyciwyd o'r Lladin ceir diptoniaid lle nad oedd ond llafariaid yn Lladin. Er enghraifft, trisill oedd y gair *pŭtĕus* yn Lladin clasurol, hynny yw *pwt-ĕ-ws*. Yn ôl y rheol arferol o golli'r ter-fyniad, disgwyliem i'r ffurf hon roi *pyde* yn Gymraeg, ond *pydew* yw'r gair, ac *ew* yn ateb i'r *é* Ladin. Y rheswm am hynny yw bod y gair *pŭtĕus* wedi newid ar lafar drwy fod y sain *w* yn y terfyniad wedi taflu ei chysgod yn ôl ar yr *e*, fel petai, gan roi ffurf lafar fel *puteuus*, sef *pwt-ew-ws*. Felly cynrychioli'r *ew* hon oedd ar lafar cyffredin y mae'r ddipton *ew* yn Gymraeg. Gwelir yr un peth yn *olew* o *ŏlĕum*, *Mathew* o *Matthĕus*, *Iddew* o *Iudĕus*. Ymddengys mai tebyg fu gyda'r gair Lladin deusill *lĕo* a roes yn Gym-raeg, nid *lle*, ond *llew*, drwy gynaniad fel *leuo*. Ond ar y llaw arall nid hynny a ddigwyddodd yn hanes y gair Lladin *cāsĕus*. Nid *cosew* a roes hwn yn Gymraeg, ond *caws*. Y peth a ddigwyddodd yma oedd i *ĕus*, yn lle rhoi *euus*, droi'n *ius*, ac felly aeth y gair yn ddeusill, *cāsius*. Collwyd y terfyniad unsill newydd *ius* yn Gymraeg, a chawsom y ffurf *caws*. Felly hefyd y gair *cŭnĕus*, nid *cynew* a roes ond *cŷn*. Aeth *cŭnĕus* yn *cŭnius*, ac affeith-iodd yr *i*-gytsain ar yr *w* fer a'i throi'n *y*.

Cawn y diptoniaid newydd hyn ynghanol gair hefyd. Cymerwn yr enw *Iōannes* a ddaeth o'r Lladin i'r Gymraeg. Yn ôl y rheol rhoesai *ō* Ladin *ū* yn Gymraeg, ond nid hynny a geir yn ffurf Gymraeg yr enw. Yr esboniad tebycaf ar ddatblygiad yr enw i'r Gymraeg yw bod yr *ō* wedi troi'n fer, ac yna bod *oa* wedi mynd yn rhywbeth tebyg i *oua* (*owa*). Felly cafwyd rhyw ffurf lafar fel *Iouannes* (*Iowannes*). Yn awr, rhoes y Lladin *Iouis*, neu un arall o gyflyrau traws enw'r duw Iupiter, y ffurf *Iau* yn Gymraeg. Yn ei ffurf Gymraeg hynaf, *Iou* ydoedd, a chlywir hi hyd heddiw mewn rhai parthau o'r wlad yn *dydd Iou*. Yn ddiweddarach aeth yn *Ieu*, ac yna cafwyd y ffurf safonol *Iau*. Felly hefyd cafwyd *ffau* o'r

Lladin *fŏuĕa*—enghraifft arall, gyda llaw, o *-ĕa* yn rhoi -*ĭa*, a gair trisill yn mynd ar lafar yn ddeusill, *fouia* (*ffowia*). Yn yr un modd aeth *Iouannes* (*Iowannes*) yng yng nghyfnod yr Hen Gymraeg yn *Iouan* (*Ioyan*), ac yna'n *Ieuan*. Mae llawer o enghreifftiau yn Gymraeg o *eu* ac *ef* yn cyfnewid â'i gilydd, megis *deunydd* a *defnydd*, *ieuanc* a *iefanc*. Felly cafwyd *Ieuan* a *Iefan*, ac megis yr aeth *iefanc* yn *ifanc* aeth *Iefan* yn *Ifan*. Mae *Gŵyl Ifan*, am *Gŵyl Ieuan* " The Feast of St. John," yn hysbys o hyd. Yn ddiweddarach cymerodd yr enw hwn y ffurf Saesneg Evan. Ffurf Saesneg *Ioannes* oedd *John*, a benthyciwyd hwnnw i'r Gymraeg yn y ffurf *Siôn*. Y mae'r *si* yn yr enw hwn yn dangos anallu rhai o'r Cymry i gynanu *j* feddal y Saesneg, eithr ei throi'n *sh* Saesneg. Ond ni allai rhai o'r Cymry seinio *sh* Saesneg chwaith, a'r cynnig agosaf a allent ei roi at y sain honno oedd *si* (sef *i*-gytsain). Felly daeth *si* i olygu yr *sh* Saesneg yr oedd rhai'n gallu ei seinio ac eraill heb allu ei seinio. Yn wir ni ellir yn iawn nodi'r sain *sh* Saesneg ag *sh* yn Gymraeg, canys *s* ac *h* yw'r olaf. Felly *si* yw'r arwydd neu'r symbol cyffredin yn Gymraeg i nodi'r sain *sh* Saesneg. (Mynnai Henri Perri yn *Egluryn Ffraethineb* newid y dull. Dyma'i eiriau yn ein horgraff ni : " yn ôl y ddull newydd fal hynn y sgrifennir yn gywir . . . sh. sharad. yn ol yr hen ddull fal hynn y sgrifennwyd yn anghelfydd . . . si. siarad.") Mae'r Cymro naturiol a all seinio'r *sh* Saesneg yn ei seinio'n gwbl ddifalch pan lefaro eiriau Cymraeg o darddiad Saesneg megis *Siôn* a *siop* a *siars*, heb fingamu'n rhodreslyd i wneud *s* ac *i*-gytsain ohoni fel y mynnai rhai iddo wneud. Down yn ôl at hyn yn y bennod nesaf (td. 92). Eto, yn ddiweddarach lluniwyd ffurf hollol newydd o'r Lladin *Ioannes* drwy dynnu'r terfyniad i ffwrdd, ac yna cafwyd Ioan. Felly gwelir nad yw *Ieuan, Iefan, Ifan* (ac yn wir *Iwan*), *Evan, Siôn, John* a *Ioan* ond ffurfiau amrywiol o'r enw Lladin *Ioannes*.

Mae un enghraifft arall o ddipton Gymraeg yn cynrychioli llafariad Ladin y dylid cyfeirio ati. Daw'r gair *cystrawen* o'r Lladin *construenda*, ffurf ar ferf yn golygu adeiladu, cyfansoddi, neu lunio, yn Saesneg " construct." Gwelir bod *awe* yn Gymraeg yn cyfateb i *ue* (*ẅe*) yn Lladin. Yr esboniad yn ddiau yw i *ue* ar lafar droi'n *uue* (*ẅwe*), ac i'r cyfuniad *uu*, sef *w*-lafariad ac *w*-gytsain, ddatblygu'n *awe*, a rhoi cyfuniad tebyg i'r un a welir er enghraifft yn y gair *llawen*. Pan fo *i*-lafariad (neu *y*) yn dilyn y ddipton *aw* affeithir yr olaf yn *ew*, megis *taw tewi*. Gwelwn hyn yn y gair *rhewin* " dinistr." Daw hwn o'r Lladin *ruina*, a gwelir yma eto fod *ui* (*ẅi*) fel petai wedi tyfu ar lafar yn *uui* (*ẅwi*), yna'n *awi*, ac o'r diwedd yn *ewi*, yn y gair *rhewin*.

Cyfeiriwyd droeon eisoes at enghreifftiau o seiniau yn affeithio'i gilydd yn y benthyciadau a geir yn y Gymraeg o'r Lladin. Fe soniwyd yn helaeth am wahanol agwedd-au'r cyfnewidiadau hyn wrth ymdrin â'r Frythoneg. Byddai'n hawdd inni fanylu ar gyffelyb gyfnewidiadau yn yr elfen Ladin yng ngeirfa'r Gymraeg. Ond prin y mae angen am hynny, gan mai'r un fath ydynt yn y ddau achos, gan mwyaf. Cofier mai â'r geiriau Lladin a fenthyciwyd yn gynnar yr ydym yn ymwneud yn awr, y geiriau hynny a dderbyniwyd yn ddigon cynnar i gael eu chwalu a'u newid yn yr un modd ag y newidiwyd y defnydd Brythonig. Affeithiai llafariad ar lafariad, fel y gwelwyd yn hanes *lleidr* o *latrō*. Cawn *rapįum* yn rhoi *rhaib*, yr *i*-gytsain yn affeithio *a* i *ai*. Cawn *angelus* yn rhoi *angel*, ond y lluosog *angelī* yn rhoi *engyl* ; *cultellus* yn rhoi *cyllell* a'r lluosog *cultellī* yn rhoi *cyllyll*. Rhoes yr unigol *manĭca* y ffurf *maneg*, ond y lluosog *manĭcae* y ffurf ffurf *menyg* (diweddarach *menig*). Yr un modd gyda'r cytseiniaid, newidid y rhai Lladin fel y gwneid â'r rhai Brythoneg gan mwyaf. Ond efallai y dylem aros tipyn gyda'r rhain.

Gwelsom fod *p* Indo-Ewropeg wedi colli yng Nghelteg, ond bod y Frythoneg wedi gwneud *p* newydd o'r hen *k*ᵘ. Felly yr oedd *p* yn ddigon cyfarwydd yn yr iaith pan ddechreuwyd benthyca o'r Lladin, ac am hynny ni ddiflannodd *p* Ladin yn y Frythoneg. Gydag ychydig eithriadau troesau *s* wreiddiol yn *h* yn y Frythoneg, ond cadwyd *s* ynddi o gyfuniadau o *s* a chytsain arall, fel y gwelir er enghraifft yn *serch*, lle y daw *s* o *st*. Ond y mae *s* Ladin wedi ei chadw yn y Gymraeg, ag eithrio yn y gair *hestor*, mesur o ryw ddau fwysel, o'r Lladin *sextarius*. Efallai hefyd y gellir chwanegu *hwyr*, o'r Lladin *sērus* (rhoes y Celteg *sēros* y gair Cymraeg *hir*). Awgryma hyn fod *s* unigol yn parhau'n llac ac ansicr yng ngenau'r Brythoniaid yn y cyfnod Rhufeinig. Ni ellir anwybyddu'r ffurf *Hafren* yn y cysylltiad hwn. Y ffurf wreiddiol ar enw'r afon oedd *Sabrĭna*, a dyna'r ffurf a ddyry'r Rhufeinwyr. Yn Hen Saesneg ceir *Sǽfern*, bellach *Severn*. Yn yr olaf gwelir ôl treigliad meddal *b*, a phrin y gallasai'r Saeson gael y ffurf feddal ond oddi wrth Frythoniaid. Rhwng popeth tueddir dyn i farnu bod ansicrwydd yn para ynglŷn â'r *s*, ac i'r Frythoneg neu'n hytrach (efallai) y Gymraeg o'r diwedd ei throi'n bendant yn *h*, fel y ceir bellach *Hafren*. Gwelwyd bod *ks* (neu *x*) Celteg wedi rhoi *ch* yn Gymraeg, megis *chwech* o *sueks*. Nid felly gyda'r un cyfuniad yn Lladin. Ni roes y Lladin *pexa* yn Gymraeg *pech* ond *peis*, yna *pais*. Felly o *Saxō* cafwyd *Sais*, o *Saxones* y ffurf *Saeson*, o *laxus* y ffurf *llaes*, ac o *crux* y ffurf *crwys*. Dengys hyn fod y duedd i *ks* droi'n *ch* yn y Frythoneg wedi llwyr ddarfod cyn dechrau benthyca geiriau Lladin a gynhwysai'r cyfuniad hwnnw o seiniau. Fel y dywedwyd, yr oedd geiriau yn y Frythoneg yn dechrau ag *h* o hen *s*, megis y rhai a roes *haf*, *hir*, *hael* yn y Gymraeg. Ond ni cheir *h* yn Gymraeg yn y geiriau yr ysgrifennid (ond na seinid) *h* ynddynt yn Lladin ; aeth *hōra* yn *awr*, *historia* yn *ystyr*, *habēna* yn *afwyn*. Am yr olaf o'r geiriau hyn gellir nodi i'r *f* droi'n *w*, yna cafwyd *awyn* (i'w odli â *trwyn*). Wedyn troes *aŵy* yn *awe*, fel yr aeth *Tawy* (i'w odli â *mwy*) yn *Tawe*. Felly cafwyd *awen*, sy'n fwy hysbys i ni yn y lluosog *awenau*.

Datblygodd y lledlafariaid *i̯* ac *u̯*, neu *i*-gytsain ac

u-gytsain, ar ddechrau gair o'r Lladin yr un fath ag o'r Frythoneg i'r Gymraeg. Saif *i* o hyd am y flaenaf, megis yn y gair *Iau*, ac *gw* am yr olaf, megis *gwin* o *uīnum*, a *Gwener* o *Uenerem* neu un arall o gyflyrau traws yr enw *Uenus* (neu *Venus*). Dangoswyd bod *i*-gytsain Frythoneg yn y cyfuniad *i*-lafariad ac *i*-gytsain wedi rhoi *dd* yn Gymraeg, er enghraifft, bod *nouịos* wedi rhoı'r Brythoneg *nouịos*, a hwnnw *newydd* yn Gymraeg. Nı cheir hyn yn y benthyciadau Lladin. Felly *Emrys* a ddaeth o *Ambrosius*, *rhaidd* o *radius*, *dilyw* o *diluuium*, *callawr* o *caldārium*. Yn y tair enghraifft gyntaf gwelir i'r *i*-gytsain affeithio'r llafariaid o'i blaen, sef *a o i e y*, *a* i *ai*, ac *u* (*w*) i *y*. Eto, er inni weld bod *u*-gytsain ar ddechrau gair wedi rhoi *gw* yn Gymraeg, cawn y ffurf *berf* o'r Lladin *verbum*, a *bogal* neu *bogail* o'r Lladin *vocalis*. Dengys hyn mai benthyciadau diweddar ydynt, wedi i'r Lladin *u* (*w*) droi'n *v* (Gymraeg *f*). Felly seinid y blaenaf *ferbum*, a throwyd ef i'r Gymraeg yn y ffurf *ferf*. Ond fel rheol sain dreigledig o *b* neu *m* yw *f* ar ddechrau gair Cymraeg. Am hynny, drwy gydweddiad, aeth *ferf* yn *berf*.

Dichon ein bod bellach wedi codi digon o enghreifftiau i ddangos bod seiniau'r benthyciadau cynnar hyn o'r Lladin wedi datblygu i'r Gymraeg yn yr un dull yn hollol â'r seiniau oedd yn y Frythoneg yn y cyfnod pan fenthyciwyd o'r Lladin. Rhaid cofio mai ffurf lafar gyffredin oedd i'r geiriau Lladin hynny, ac nad oedd honno bob amser yn cytuno'n hollol ym mhob pwnc â'r ffurfiau safonol fel y cawn hwy yng ngweithiau'r awduron Lladin clasurol. Weithiau gallai fod ffurf daleithiol ar y gair Lladin ei hun, a honno'n gwahaniaethu oddi wrth y ffurf safonol. Bryd arall newidid gair i gytuno â seiniau rhai tebyg iddo yn y Frythoneg. Er enghraifft, ffurf luosog y Lladin *lătrō*, sef *lleidr* yn Gymraeg, oedd *latrōnes*. Nı allai honno roi ond *lladrun* yn Gymraeg ; eithr *lladron* yw'r ffurf Cymraeg. Dengys hynny bod yr *ō* wedi troi'n *ŏ* yn y Frythoneg, sef *latrŏnes*, sy'n rhoi'r Cymraeg *lladron* yn gwbl reolaidd. Mae'r terfyniadau lluosog *-on* ac *-ion* yn dystiolaeth sicr mai *ŏ* oedd yn gyffredin ym môn y geiriau hyn yn y Frythoneg, ac felly newidiwyd y ffurfiau Lladin i ganlyn y rheini.

Daw hyn â ni at fater arall y soniwyd amdano wrth drin hanes ffurfiad lluosog enwau yn Gymraeg. Gwelsom fod y rheol bresennol o newid llafariad yr unigol er mwyn ffurfio'r lluosog i'w holrhain yn ôl i eiriau arbennig oedd yn perthyn i ddosbarth yn y Frythoneg a ffurfiau'r lluosog â'r terfyniad *-ī*. Gallwn yn awr ychwanegu enghreifftiau o hyn o blith y geiriau Lladin, megis *engyl*, a *cyllyll*. Eto rhoes *monachus* yn Gymraeg *mynach*, a'r lluosog *monachī* y ffurf *mynaich*. O *santus* cafwyd *sant*, ac o *santī* daeth *saint*. Ond sylwer nad yr un peth a gyfrif am y cyfnewidiad yn *maneg, menyg* (*menig*), canys fel y gwelwyd yn yr unigol y mae'r cyfnewidiad yn y gair hwn, ac ni pherthynai i'r un disgyniad â'r geiriau uchod. Ond wedi colli'r hen ffurfdroadau nid oedd waeth am hynny. I ni heddiw yr un yw'r newid yn *angel engyl* ac yn *maneg menyg*. Aethpwyd ati i amlhau'r enwau y ffurfid eu lluosog drwy newid llafariad, beth bynnag oedd eu hanes. Felly o *castell* gwnaethpwyd y lluosog *cestyll*, er mai *castella* oedd yr hen ffurf luosog ac na allai honno roi ond *castell* yn Gymraeg. Nid yw *pabell, pebyll* yn enghraifft debyg. Ffurf unigol oedd *pebyll*, o'r Lladin *papilio*, ond trwy gydweddiad cymerwyd hi fel ffurf luosog, a lluniwyd yr unigol newydd *pabell*. Lluniwyd *cyrff* yn lluosog i *corff*. Daw'r unigol o *corpus* yn rheolaidd. Yr hen luosog oedd *corpora*, a *corffor* a roddai honno. Felly unigol *corff*, lluosog *corffor* fuasai'r datblygiad hanesyddol gywir. Yn wir mae'n ddigon posibl bod *corffor* rywdro'n golygu cyrff, ond unigol yw'r unig enghreifftiau sy'n digwydd o *corffor*, a gall y ffurf hon ddod o'r Lladin *corpor-is*, sef y cyflwr genidol unigol. Yn ein hen lenyddiaeth *corfforoedd, corfforion, corffeu, corffoedd* oedd y ffurfiau lluosog ar gyfer *corff*. Ar y llaw arall, lluniwyd yn bur gynnar ffurf luosog newydd sbon drwy newid yr *o* yn *corff* i *y* yn *cyrff*, a hynny drwy gydweddiad â'r hen enwau lle y digwydd-asai hynny am resymau seinegol, sef drwy affeithiad *ĩ* derfynol. Eto rhoes *porta* y gair *porth* (drws), a rhoesai'r lluosog *portae* yr un ffurf hefyd. Gwnaethpwyd lluosog newydd, sef *pyrth*, drwy gydweddiad â geiriau eraill tebyg eu ffurf. Cymerwn un esiampl arall, sef *sarff* o'r Lladin *serpens*. Yma aeth *e* yn *a* dan ddylanwad *rp*, a gellir cymharu'r cynaniad Saesneg *clark* ar y gair *clerk*. Y lluosog Lladin oedd *serpentes*, a rhoesai hynny efallai rywbeth fel *sarffent* (neu *serffynt*) yn Gymraeg. Ond *seirff* yw'r ffurf fwyaf cyffredin, fel *bardd beirdd*, er bod *sarffod* hefyd yn hen ffurf, hithau yn ei thro wedi ei llunio drwy gydweddiad â dosbarth arall o enwau.

Yn y dosbarth hwnnw, fel yr eglurwyd yn barod gyda *llygod* er enghraifft (td. 43), cymerwyd olddodiad yr hen fôn cyntefig fel terfyniad lluosog wedi i'r terfyniadau lluosog cyntefig golli. Nid pob olddodiad a gymerwyd felly ; er enghraifft ni cheir *-or* yn derfyniad lluosog serch bod olion hen derfyniad *-awr* mewn geiriau fel *gwaewawr* a *byddinawr* o *gwayw* a *byddin*. Pe digwyddasai *-awr* barhau mewn nifer go lew o enwau, troesai'n ddiwedd-arach yn *-or*, a buasai'n ddigon naturiol cymysgu'r *-or* hwn â'r *-or* yn *corffor* ac yna byddai *corffor* wedi ei gadw fel lluosog *corff*. Aeth *-awr* yn *gwaewawr* yn *-ar* yn *gwaewar*, newidiwyd y ddipton a'r llafariad yn y ffurf newydd hon a chafwyd *gweywyr*, ac erbyn heddiw *gwewyr* yw ffurf luosog *gwayw*. Eto cymerwn y gair Lladin *crĕātor* a fenthyciwyd i'r Gymraeg, yn y ffurf *creawdr*. Y lluosog enwol yn Lladin oedd *crĕātōres*, ac yn y Frythoneg byddai'r acen ar y goben, sef ar y llafariad *ō*, a chan fod yr *ā* yn y sillaf o'i blaen yn ddiacen fe droai'n fer, ac felly ceid *crĕătōres*. Y ffurf Gymraeg ar hon fyddai *creadur*, a chaem yn yr unigol *creawdr*, yn y lluosog *creadur*, a siarad yn fanwl hanesyddol. Ond gallasai un o gyflyrau traws y rhif unigol roi *creadur* hefyd, y cyflwr gwrthrychol er esiampl, sef *creatorem*. I bentyrru trafferthion, yn Lladin Diweddar, yn gynnar yn y

74

drydedd ganrif dyweder, yr oedd gair arall *crĕātūra* " peth
wedi ei greu," a rhoesai hwnnw *creadur* yn Gymraeg
hefyd. Trown at air arall tebyg, sef y Lladin *peccātor*.
Disgwyliem *pechawdr* ohoni'n Gymraeg, i gyfateb i
pechezr y Llydaweg Canol (heddiw *pec'her*). Yn y
cyflyrau traws unigol, er enghraifft yn y cyflwr gwrth-
rychol, ceir *peccātōrem*, a rhoddodd hwnnw yn Gymraeg
y ffurf *pechadur*. Gallasai'r lluosog *peccatōres* roi *pechadur*
hefyd fel ffurf luosog. Mae'r Lladin *imperātor* wedi rhoi
ymherawdr inni. Yr unigol gwrthrychol oedd *imper-
ātōrem*, y lluosog enwol oedd *imperātōres*. Rhywbeth fel
ymeradur a roesai'r rhain yn Gymraeg, mae'n debyg, ond
nid oes ffurf felly'n hysbys. Yn olaf cymerwn y Lladin
auctor yn ei ffurf *autor*. Rhoes hwn *awdr* yn Gymraeg.
Ei gyflwr gwrthrychol unigol oedd *autōrem*, yr enwol
lluosog *autōres*, a rhoddai'r ddwy ffurf hyn *awdur* yn
Gymraeg.

Yn awr, crynhown y rhain at ei gilydd bob yn gyflwr.

(a) Unigol enwol : *creawdr* (y crëwr), *pechawdr*,
     ymherawdr, awdr, creadur (y creëdig).
(b) Unigol gwrthrychol : *creadur* (y crëwr),
     pechadur, ymeradur, awdur, creadur (y creëdig).
(c) Lluosog enwol : *creadur* (y crëwyr), *pechadur*,
     ymeradur, awdur, creadur (y creedigion).

Cyn belled ag y mae rheolau datblygiad seiniau yn cyfrif
y mae gradd helaeth iawn o sicrwydd ynglŷn â chywir-
deb peiriannol pob un o'r ffurfiau uchod. Serch hynny
nid yn ôl y dosbarthiad uchod yr adwaenwn y ffurfiau
hyn yn Gymraeg. Mae *creadur* fel ffurf berthynol, yn
arbennig fel lluosog, i *creawdr* " y crëwr " yn anhysbys ;
enw unigol ydyw, yn golygu " y creëdig." Ni wyddom
ddim am yr unigol *pechawdr* na'r lluosog *pechadur* ;
ein gair ni yw'r unigol *pechadur*. Mae *ymherawdr* yn
hysbys yn ein llenyddiaeth, ond ni welwyd *ymeradur*
o gwbl. Gwyddom am *awdr*—felly y disgrifia Dafydd
Lewys, Ficer Llangatwg ym Morgannwg, ef ei hun fwy
nag unwaith yn ei lyfr *Golwg ar y Byd* a gyhoeddwyd yn

1725— a hefyd am yr unigol *awdur*. Ond nid oes sôn am y lluosog *awdur*. Bu raid llunio ffurfiau lluosog o newydd iddynt. Y cynnig hynaf hysbys ar luosog creadur oedd *creadureu* neu *creadurieu*—ceir y ddwy ffurf yn Llyfr Du Caerfyrddin. Disodlwyd ef gan y ffurf *creaduriaid*. Gwelir yr un terfyniad â'r olaf yn *pechaduriaid*. Y cynnig hynaf hysbys ar luosog *awdur* oedd *awduriaid*, ond y mae Richard Davies "Esgob Mynwy," yn ei Epistol at y Cymry o flaen Testament Newydd 1567 yn sôn am *awdurion*, ac y mae *Carwr y Cymry* yn 1631 yn arfer *awduron*. Yr un *-on* a ddefnyddiwyd i roi lluosog i *ymherawdr*, sef *ymerodron*. Y peth i'w gofio yw mai ffurfiau wedi eu gwneud yn y Gymraeg ei hun yw'r ffurfiau lluosog hyn, gyda chymorth rhyw sillafau diweddol, sef etifeddion hen olddodiaid bôn enwau yn y Frythoneg y daethpwyd i'w cyfrif yn derfyniadau lluosog. Gwelwn yn y gyfres uchod yr iaith yn newid un terfyniad am un arall, er enghraifft cymryd *creaduriaid* yn hytrach na *creaduriau* serch mai'r olaf yw'r hynaf. Felly hefyd daeth *awduron* i gymryd lle *awduriaid* fel lluosog i *awdur*. Ond cadwodd *awdr* yn fyw hefyd, eithr yn y ffurf ddeusill *awdwr* a welir yn aml yn rhyddiaith o'r ail ganrif ar bymtheg ymlaen. Mae enwau eraill yn Gymraeg yn diweddu yn *wr*, geiriau cyfansawdd o enw a'r enw *gŵr*, megis *gweithiwr*—o *gwaith* a *gŵr*, dau air Brythoneg, neu *milwr*, gair cyfansawdd o *mil*, a fenthyciwyd o'r Lladin *mīles* "milwr," a *gŵr*. Ffurfiai'r rhain eu lluosog yn gwbl reolaidd drwy newid yr unigol *(g)ŵr* i'r lluosog (hanesyddol gywir) *(g)ŵyr*—*gweithwyr* a *milwyr*. I'r mwyafrif mawr o siaradwyr nid oedd wahaniaeth rhwng *wr* yn *milwr* ac *wr* yn *awdwr*, ac felly pan ddaeth eisiau lluosog i *awdwr* yr oedd ffurfiau fel *milwyr* yn batrwm hwylus. Fe'i dilynwyd yn gwbl naturiol a dywedwyd *awdwyr*—ffurf a welir yn dra mynych yn ein rhyddiaith er y flwyddyn 1661 o leiaf. Yn yr un modd y lluniwyd *creawdwyr* ac *ymerawdwyr* o *creawdwr* ac *ymerawdwr*, wedi i'r ffurfiau olaf hyn ar lafar ddisodli *creawdr* ac *ymherawdr* a oedd yn hŷn ond yn anodd eu cynanu.

Hyderaf ei bod yn ddigon clir bellach pa mor llwyr y llyncwyd y benthyciadau cynnar Lladin gan yr iaith frodorol. Ceisiais ddangos y tebygrwydd a welir yn y dulliau y newidiwyd seiniau'r Lladin a'r Frythoneg er mwyn gwneud y ffurfiau Cymraeg. Hefyd gwelwyd yr ystwythder a ddangosai'r iaith newydd wrth lunio iddi ei hun eiriau arbennig at bwrpas eglurder deall. Mae'r cwbl yn dystiolaeth gref dros hoywder a bywiogrwydd yr iaith newydd, ac yn wir ni allwn lai nag edmygu'r rhinweddau hynny a welir mor amlwg ynddi. Er cymaint o'r elfen Ladin a welir yn ei geirfa rhoddwyd stamp ddiamheuol Gymraeg ar yr elfen honno i gyd. Ni soniwyd dim am y berfau a fenthyciwyd o'r Lladin. Mae gennym nifer helaeth ohonynt wrth gwrs, ond rhediad Cymraeg sydd iddynt i gyd, heb ddim ôl eu rhediad Lladin gwreiddiol. Yr un yw rhediad *dyrchafael* ac *esgyn* er mai o'r Frythoneg y daeth y naill ac o'r Lladin y llall. Dangoswyd eisoes mai creadigaeth weddol newydd yw rhediad y ferf Gymraeg.

Cyn inni orffen gyda'r elfen Ladin efallai y bydd yn ddiddorol inni geisio dosbarthu'r geiriau a fenthyciwyd. Gallwn ddechrau gyda'r dyn ei hun. Cyfeiriwyd yn barod at y gair *corff* o'r Lladin *corpus*. Daw *braich* o *bracchium*, *coes* o *coxa*, *boch* o *bŭcca*, *palf* o *palma* a *barf* o *barba*. Nid yw'r benthyciadau hyn yn profi mai gan y Rhufeinwyr y cafodd y Brythoniaid am y tro cyntaf enwau ar y corff a'r gwahanol rannau ohono. Yn wir mae'r gair *grudd*, o darddiad Brythoneg, o hyd ar arfer am *boch*, a cheir *tor* neu *cledr* llaw yn amlach efallai na *palf*. Benthyciad Groeg yw'r Lladin *bracchium* ei hun. Mae ceisio deall pam y dewiswyd geiriau estron yn lle geiriau cynhenid yn astudiaeth ddiddorol, ond ni allwn ni yn y gwaith hwn ymgymryd â hi. Tebyg iawn hefyd nad oes raid wrthi ynglŷn â lliaws mawr o eiriau eraill y cawn gyfeirio atynt, oblegid yr oedd y rheini'n enwau ar bethau na wyddai'r Brythoniaid lawer amdanynt cyn dyfod y Rhufeinwyr. Dyna wisg dyn, er enghraifft :

maneg o *manĭca*, *pais* o *pexa*, ac yn addurn iddo, *torch* o *torquis*. Dysgodd y Brython lawer iawn gan y Rhufein-iwr fel saer neu adeiladydd. Felly cafwyd i'r tŷ *sail* o *solea* (drwy *solia*), *pared* (drwy ffurfiau hŷn *paraed* a *parwyd*, a welir yn y lluosog *parwydydd*) o *pariētem* neu gyflwr traws arall o *paries*. Eto daeth *post* o *postis*, *colofn* o *columna*, a thros byst neu golofnau byddai *trawst* (yn hŷn *trawstr*, lluosog *trostrau*, yn awr ffurf luosog newydd *trawstiau*) o *transtrum* (drwy *trāstrum*). I'r tŷ byddai *porth* (*porta*), a hefyd *ffenestr* (*fenestra*). Yn y tŷ eto byddai *cegin* (*coquĭna*), ac yn y gegin ceid *ffwrn* (*furnus*) y cresid *torth* (*torta*) ynddi. Cyrchid dwfr o'r *ffynnon* (*fontāna*), neu gellid cloddio *pydew* (*puteus*). Gellid yfed *gwin* (*uĭnum*), hefyd *llaeth* (*lactis* y cyflwr genidol, neu o un arall o gyflyrau traws *lāc*)—yr enw newydd ar yr hen a elwid *blith* cyn hynny. Hefyd trinid y llaeth mewn modd arbennig i beri iddo droi a rhoi *caul* (*coāgulum*, drwy ryw ffurf lafar fel *cāglum*), ac o'r diwedd ceid *caws* (*cāseus*) i'w fwyta. Rhoid bwyd ar beth o'r enw *dysgl* (o *discus*, drwy ffurf fachigol fel *disculus*), a phan fyddai rhaid cael arf i'w dorri defnyddid *cyllell* (*cultellus*). Pan fyddai ar ddyn eisiau bwrw'i flino gallai orwedd ar y *lleithig* (*lectĭca*), ac os mynnai, roi *cylched* (*culcita*) drosto i'w gadw'n gynnes. Mewn afiechyd cyrchai'r *meddyg* (*medicus*). Wedi nos gallai oleuo *cannwyll* (*candēla*), a gweld rhyfeddodau yn ei *fflam* (*flamma*). Neu hwyrach yr agorai ei *sach* (*saccus*), i gael cyfrif ei *swllt* (*solidus*), sef ei drysor. Weithiau byddai raid iddo gael *ysgol* (*scāla*) i *esgyn* (*ascendo*) i rywle. Mewn *melin* (*molĭna*) y malai ei flawd, ar ôl iddo ddyrnu'r ŷd â *ffust* (*fustis*). Rhoddai fwyd i'w geffyl mewn *preseb* (*praesaepe*), ac efallai mai *cadwyn* (*catēna*) a gymerai i'w glymu yno rhag i'r *lleidr* (*latrō*) ddod a'i yrru dros y *ffin* (*fĭnis*). Pan ddelid lleidr rhoid ef yn y *carchar* (*carcer*).

Dysgodd y Brython lawer am filwriaeth, ac mae ôl y ddysg honno'n amlwg ar yr iaith. Gwelwyd eisoes mai hanner Lladin yw'r enw *milwr* ei hun. Gwŷr traed oedd milwyr Rhufain yn fwyaf arbennig, sef *pedites*, a roddodd *peddyd* yn Gymraeg, neu *pedestres*, a roes *peddestr* yn Gymraeg. Yr oedd eu saernïaeth hwy'n gampus iawn. Gallai'r gwladwyr weld *castell* (*castellum*) y milwyr hyn, a chadarn oedd golwg pob *mur* (*murus*) a godent. O'i gylch byddai *ffos* (*fossa*). Ceid y Rhufeiniwr yn awr yn codi *magwyr* (*maceria*), bryd arall byddai afon na ellid ei rhydio o'i flaen, ac felly dodid *pont* (*pontem*, o *pons*) drosti. Gwisgid *llurig* (*lōrīca*) ledr gan y milwyr, ac wrth ymladd taflent weithiau *saeth* (*sagitta*) a phryd arall torrent â chleddyf a *llafn* (*lamna*) miniog iddo. Mewn *ysbaid* (*spatium*) o heddwch cedwid y cleddyf mewn *gwain* (*vagīna*). Pan enillid brwydr dygid *ysbail* (*spŏlium*) oddi ar y gelyn. Y gair am fferm neu stad oedd *praedium*, ac weithiau rhoid ar ysbail rhyfel yr enw *praeda*. Cawsom ni'r gair *praidd* o ran ei ffurf o'r blaenaf ond o ran ei ystyr o'r olaf. Gallai ysbail o ddefaid fod yn bur werthfawr ar adegau, neu yn ôl yr ystyr gyntaf, *praidd* o ddefaid. Erbyn hyn collodd y gair praidd yr ystyr honno'n llwyr.

Wedi i ardal ymdawelu dan yr ymerodraeth, gellid gweld plant yn mynd i'r *ysgol* (*schola*), ac yno'n cael *llyfr* (*liber*) i'w ddarllen. Nid print ond *ysgrifen* (o *scribenda* "pethau i'w sgrifennu," ffurf ar y ferf *scribo* " sgrifennaf," y gair a roes *ysgrif* i ni) fyddai ar y llyfr. Dichon mai adroddiad neu hanesyn am rywbeth a ddarllenid—sef *memoria*, a bod yn rhaid trysori hynny yn y cof—sef *memoria* eto. O'r gair hwn *memoria* y **cafodd** y Gymraeg y gair *myfyr*. Gallai enw arall fod ar yr hanes, sef *historia*, ac o hwn y cawsom ni *ystyr*. Ymhellach pan ddaeth Cristnogaeth i'r wlad agorodd ddrws i luoedd o eiriau ddyfod i mewn i'r iaith. Clywid yn awr am *ffydd* (*fides*), *pechod* (*peccātum*), *bendith* (*benedictio*) a *melltith* (*maledictio*). Yn yr *eglwys* (*ecclēsia*) byddai *cangell* (*cancellus*) ac *allor* (*altāre*), canu *offeren* (*offerenda*) a thraddodi *pregeth* (*praeceptum*, drwy ffurf lafar *precettum*). Darllenid yr *Ysgrythur* (*scriptūra*) a chenid y *Sallwyr* (*psaltērium*). Ond rhaid inni adael yr elfen Ladin. Ni allwyd

gwneud mwy na cheisio rhoi bras amcan o'r modd yr
asiwyd yr elfen estron hon wrth yr hen iaith frodorol.
Cyn gorffen, dylid dweud bod astudio'r elfen hon yn y
Gymraeg o werth mawr i ni i allu deall y modd y tyfodd
y Gymraeg o'r Frythoneg. Pwysleisiwyd droeon y ffaith
nad oes gennym ddim gweddillion gwerth sôn amdanynt
i roi inni syniad manwl am gyflwr a gwedd y Frythoneg.
Ond bu benthyca rhai cannoedd o eiriau Lladin i'r
iaith honno pan oedd hi'n trengi er mwyn atgyfodi'n
iaith newydd, yn wir yn ieithoedd newydd, yn fendith
i'r sawl a fyn wybod a deall y modd y cychwynnodd
yr iaith Gymraeg ar ei thaith. Dyna'r rheswm y
rhoddwyd i'r elfen Ladin gymaint o le yn y llyfr hwn.

BENTHYCIADAU ERAILL

MAE'R elfennau estron eraill yn yr iaith Gymraeg
mewn dosbarth sy'n hollol wahanol mewn un peth
pwysig i'r elfen Ladin gynnar y buom yn sôn amdani
hyd yn hyn. Fel y dywedwyd, cymerwyd y rheini i iaith
y brodorion o iaith gwareiddiad a diwylliant uwch na'r
eiddynt hwy. Pe parhasai Ymerodraeth Rhufain yn
hwy nag y gwnaeth, a phe delsai'n ddigon cryf i allu gor-
esgyn gogledd a gorllewin Prydain mor llwyr â'r dwyrain
a'r deau, mae'n bur debyg y darfuasai am iaith Gelteg yn
yr ynys hon. Ond darfu am Brydain fel talaith Rufeinig
cyn i hynny allu digwydd, ac felly gallwn ni yn awr ym-
ddiddori yn hanes tyfiant yr iaith Gymraeg. Mewn ystyr
gallwn ddweud i'r genedl Gymreig gael ei geni pan fu'n
Ymerodraeth Rufeinig farw, o ran y dalaith neu'r tal-
eithiau Prydeinig beth bynnag. Etifeddodd y genedl
newydd hon y gelynion hynny a ddeuai dros Fôr y
Gogledd i flino'r ynys yn ei dyddiau Rhufeinig. Wedi i
allu milwrol Rhufain ymadael gallodd y gelynion hyn
oresgyn yn weddol rwydd y rhan honno o'r ynys oedd
wedi ei rhufeinio'n weddol lwyr. Ond bu'r ymladd yn
galetach ac yn daerach tua'r gorllewin a'r gogledd. Y
rhyfela hwn, i raddau helaeth iawn, a roes fod i'r genedl
newydd yng Nghymru, ac Ystrad Clud. Nid oes angen i
ni'n awr ymhelaethu ar helynt Ystrad Clud, eithr fe
gyfyngwn ein sylw yn hollol i Gymru. Gwelsom i frwydr
Caer yn nechrau'r seithfed ganrif ysgar y ddwy ran oddi
wrth ei gilydd.

Yr oedd y Cymry bellach yn annibynnol, ac yn gorfod
ymladd drostynt eu hunain. Rhaid inni gofio wrth gwrs
nad oeddynt yn wladwriaeth annibynnol unedig, mwy
na'u prif elynion, y Saeson. Yr oeddynt er hynny yn
undod ar wahân i bob " cenedl " arall y deuent i gyfath-
rach neu i wrthdrawiad â hi. Pan gyfarfyddent â

chenhedloedd eraill, " cuwch cwd â ffetan " fyddai hi, er
iddynt efallai golli'r dydd yn aml mewn brwydr. Yr oedd
ganddynt yn awr i ymladd drosto eu bywyd eu hunain
yn ystyr ehangaf y gair hwnnw,—eu gwareiddiad, eu
diwylliant a phob peth a barai iddynt deimlo'u bod yn
bobl neilltuol, ar wahân i bob pobl arall. Fe adlewyr-
chir hyn yn eglur ddigon yn hanes eu hiaith. Llifodd
cannoedd o eiriau i'r iaith frodorol yn y cyfnod Rhufein-
ig. Bellach, prin yw nifer y geiriau benthyg o iaith
estron, ac felly y parhaodd nes i amgylchiadau gwleid-
yddol newid yn ddirfawr eto yn eu hanes.

Bu cyfathrach bur agos rhwng Cymru ac Iwerddon er
yn gynnar yn y cyfnod Cristnogol. Mae tystiolaeth
weddol sicr i lwyth o Wyddyl ymsefydlu yn y de yn
niwedd y drydedd ganrif, ac mae'r enw *Lleyn* a hefyd
Porth Din*llaen* yn ernes o ymweliadau'r Gwyddyl â'r
Gogledd hefyd. Heblaw hynny, dengys yr arysgrifau
ogam fod Gwyddyl yn byw mewn gwahanol rannau o
Gymru am gyfnod go hir, canys Gwyddeleg, mewn ffurf
hynafol, yw iaith yr arysgrifau hynny. Ar y llaw arall
pan drown at hanes crefyddol y ddwy bobl cawn fod
cyfathrach agos a pharhaol rhyngddynt am ganrifoedd,
o ganol yr wythfed ganrif i ganol y ddeuddegfed. Gad-
awodd yr holl ymdrafod hwn ei ôl ar y ddwy iaith. Mae
nifer go helaeth o eiriau yn yr Wyddeleg a fenthyciwyd
o'r Gymraeg, a thrwy'r Gymraeg yn wir y cafodd yr
Wyddeleg lawer o'r geiriau Lladin hynaf a fenthyciodd.
Nid yw nifer y benthyciadau Gwyddeleg yn y Gymraeg
mor lluosog. Gallwn roi yma ychydig enghreifftiau y
cytunir yn weddol gyffredin mai o'r Wyddeleg y daeth-
ant i'r Gymraeg, er na ellir dweud yn fanwl pa bryd y
benthyciwyd hwy. Cawsom nifer o eiriau ar wahanol
rannau o wisg : *brat* (lluosog *bratiau*) o'r Gwyddeleg *brat*
" mantell," (perthynas Cymraeg iddo yw *breth-* yn
brethyn) ; *cochl* o'r Gwyddeleg *cochull* " clogyn." O'r
Lladin *cucullus* y daeth *cochull* i'r Wyddeleg, a phe delsai
o'r Lladin i'r Gymraeg yn syth ac yn gynnar *cygwll* (neu

cwgwll) fuasai. Yn wir benthyciwyd ef yn y Gymraeg mewn cyfnod diweddar yn y ffurf *cwcwll*, a dengys yr *c* ynghanol y gair mai benthyciad diweddar yw, o lyfr yn ddiau ac nid ar lafar. Y Gwyddeleg *breccán* (yn awr *breacán*) a roes y Gymraeg *brecan* (cyfetyb *brecc* i *brych* neu neu *brech* yn Gymraeg). Mae'n bur debyg hefyd taw'r Gwyddeleg *cadach* ("calico") a roddodd y gair *cadach* i ni. Gwyddel eto yw *llopan llopanau*; ceir yn yr Wyddeleg *lópa* a *loipín*, rhywbeth tebyg i facsau. Dichon y gellid ychwanegu *ffetan* hefyd.

Benthyciadau Gwyddeleg yw *macwy*, yn ei ffurf hŷn *macwyf*, o *mac-coemh* ("mab-cu"), *cleiriach* o *clérech* (heddiw *cléireach*), a *croesan* ("clown") o *crossán*. O'r Lladin *clericus* y cafwyd y Gwyddeleg *clérech*, a chyfetyb felly i'r Cymraeg *clerig* (benthyciad diweddar drwy'r Saesneg) a chlerigwr a olyga. Hen ŵr ffaeledig a musgrell yw cleiriach yn Gymraeg, ac nid yw'n anodd iawn deall sut y gwaethygodd ei ystyr. Gair Gwyddeleg yw *talcen*; ystyr *tálcen* oedd "pen neddyf," a llysenw ydoedd ar fynaich. Eilliai'r mynach Celtig flaen ei ben o glust bwygilydd, ac o ganlyniad edrychai'n dra thebyg i neddyf neu neddau, yr offeryn a eilw'r Sais an *adze*, math o fwyall a'i llafn ar groes i'r coes. Felly cafodd Padrig y llysenw *tálcend* am ei fod yn un "â phen fel neddyf." Daw'r gair o *tál* "neddyf" a *cenn* neu *cend* "pen." Benthyciwyd ef i'r Gymraeg yn y ffurf *talcen* fel enw ar ran flaen y pen. Gellir ychwanegu *dichell* (Gwyddeleg *dichell* "cuddiad"), *celc* (efallai o'r Gwyddeleg *celgg* "twyll, magl"), *codwm* (Gwyddeleg *cutaim* a *cudaim* "cwymp"), *bocsach* "ymffrost" (Gwyddeleg *bocásach* "balch" neu "hunanfoddhad"), *cogor* (Gwyddeleg *cocur*, yn awr *cogar* "sibrydiad"), *dengyn* "ystyfnig" (Hen Wyddeleg *dangen* "cadarn, cryf," heddiw *daingean*). Mae'n weddol sicr bod *llac* yn dod o'r Gwyddeleg *lacc*, yn awr *lag*, "egwan, tyner"; yr ansoddair *broc* o'r Gwyddeleg *broc* o gyffelyb ystyr; a'r gair *cnwc* o'r Gwyddeleg *cnocc*, yn awr *cnoc*, "bryn." Cawn fod y gair *cerbyd* yn fenthyciad o'r Gwyddeleg *carpat*, yn awr *carbad*, efallai drwy ffurf y cyflwr genidol *carpait* neu *carbaid*, a gynenid yn bur debyg i *carbid*. Ai'r *i* yn naturiol yn *y* yn Gymraeg, ac affeithiai honno'r *a* i *e*. Dichon hefyd fod *twlc* yn dod o'r Gwyddeleg *tolc*, ffurf a ddigwydd ar y gair *tolg* " gwely " ; y gair Cymraeg cynhenid a gyfetyb iddo yw *tyle*, yn yr ystyr " lleithig." Mae'n sicr taw o'r Gwyddeleg *tolc* " rhwyg " y daw'r Cymraeg *tolc*. Hefyd diau mai benthyg yw *byth* o'r Gwyddeleg *bith* " byd," a *brechdan* o'r Gwyddeleg *brechtán*, heddiw *breachtán*. Rhoes y Lladin *brassica* y ffurf Wyddeleg *braisech* yn y cyfnod canol, a daeth honno i'r Gymraeg yn y ffurf *bresych*. Rhoesai *brassica* y ffurf *bresyg* yn Gymraeg. Erbyn heddiw caledodd y *b* i *p* yn yr Wyddeleg, a *praiseach* yw'r gair bellach.

Rhwng dechrau'r nawfed ganrif a dechrau'r unfed ar ddeg blinid Cymru'n fawr iawn gan y Llychlynwyr a ymosodai'n ddidrugaredd arni, fel y gwnaent ar Loegr ac Iwerddon. Parodd y rhain lawer iawn o ofid i'r wlad, canys llwybrau dinistr oedd eu llwybrau lle bynnag yr elent. Dioddefodd y mynachlogydd yn arbennig yn drwm iawn oblegid rhaib y Gynt, fel y gelwir hwy weith-iau. Môr-ladron o baganiaid oeddynt, ac ysbeilwyr trwyadl. Nid aent ymhell iawn o lannau'r môr yng Nghymru, ac nid oes lawer o olion iddynt ymsefydlu'n sicr iawn yn unrhyw fan. Felly rhyw berthynas stormus iawn fu eu perthynas hwy â'r Cymry ar hyd y canrifoedd hyn, ac mae'n naturiol inni ddisgwyl na adawsant lawer o'u hôl ar yr iaith Gymraeg. Y mae rhai geiriau Cym-raeg y gellir eu holrhain i'r Norseg, ond ni ellir bod yn sicr amdanynt mai oddi ar y Llychlynwyr y benthyciwyd hwy gan ei bod yn bosibl mai trwy'r Hen Saesneg y daethant i'r Gymraeg. Ceir nifer lluosog o eiriau Hen Norseg yn Saesneg, ac nid yw hynny'n rhyfedd pan gofiwn am y Daniaid a fu'n frenhinoedd am dymor yn Lloegr. Ond ar y cyfan gelyniaeth anghymodlon oedd perthynas y Cymry â'r Llychlynwyr, ac nid oedd hynny'n gyfrwng hawdd i'r naill bobl fenthyca geiriau ac ymadroddion gan y lleill yn uniongyrchol. Gall *iarll* ddod o'r Hen Norseg *iarl*, ffurf ddiweddarach ar *earl*. Benthyciwyd hwn yn yr Hen Saesneg yn y ffurf *eorl*, erbyn hyn *earl*. Gwelir bod *rl* wedi datblygu'n *rll* yn y gair hwn. Nid felly y bu gyda'r gair *carl* " taeog, cybydd," a roes y ffurf fachigol *cerlyn*. Dichon taw o'r Hen Norseg *Karl* yn syth y daeth hwn i'r Gymraeg, er ei fod wedi ei fenthyca yn Saesneg hefyd. Ffurf berthynol arno yn Saesneg wrth gwrs yw *churl*. Awgrymir bod *gardd* yn dod o'r Hen Norseg *gardhr*, a roes hefyd y Gwyddeleg Canol *garda*.

Yr iaith y benthyciodd y Gymraeg fwyaf o ddigon arni yw'r Saesneg. Nid peth diweddar yn hanes yr iaith Gymraeg yw hyn chwaith, canys cawn yn ein llenyddiaeth yn bur gynnar enghreifftiau o'r benthyca hwn o'r Saesneg yn yr hen gyfnod, hynny yw, benthyciadau o'r Hen Saesneg, sef cyn y ddeuddegfed ganrif. Er bod gelyniaeth wedi para rhwng y Saeson a'r Cymry o'r chweched ganrif hyd yr ugeinfed, nid oedd yn anghymodlon bob amser. Yr oeddynt drwy'r amser yn gymdogion agos, ac yn wir cawn y pennaeth Cadwallon yn y seithfed ganrif yn ymgynghreirio ag un o frenhinoedd y Saeson, sef Penda, brenin Mersia. Dywedir mai gwraig gyntaf Oswy, brenin Northumbria o 642 i 670, ydoedd wyres i Run, mab Urien ap Cynfarch y canodd Taliesin ei glodydd. Mae'r gwaith a wneir y blynyddoedd hyn ar Glawdd Offa yn awgrymu'n gryf na chodwyd ef ym mhobman gan y Saeson gorchfygol fel amddiffynfa yn erbyn gelyn llwyr orchfygedig, ond mai trwy gytundeb rhwng y ddwy bobl y penderfynid ei gwrs weithiau, ac nid bob amser er mantais i'r Saeson. Yma a thraw gwelir adwyau ynddo i hwyluso trafnidiaeth rhwng dwyrain a gorllewin. Dengys hyn nad gelynion a ymladdai â'i gilydd yn barhaus, heb ddim perthynas arall rhyngddynt, a drigai oddeutu'r Clawdd. Yn y nawfed a'r ddegfed ganrif yr oedd y brenhinoedd Cymreig ar delerau da a heddychol â llys Wessex,

yn arbennig yn nheyrnasiad Alfred ac eto yn nyddiau
Hywel Dda. Gwasgwyd y ddwy bobl yn agos at ei
gilydd yng nghyfnod ymosodiadau adfydus y Llychlyn-
wyr ar yr ynys. Eto yng nghanol yr unfed ganrif ar ddeg
priododd Gruffudd ap Llywelyn ap Seisyllt ferch Ælfgar,
Iarll Mersia ac un o brif arglwyddi Lloegr. At yr
amgylchiadau gwleidyddol hyn gellir ychwanegu tyst-
iolaeth ddiddorol iawn o fyd tawelwch yr ysgolion myn-
achaidd yn y ddegfed ganrif. Yr oedd gynt ym medd-
iant mynachlog Llandaf lawysgrif yn cynnwys copi o'r
efengylau yn Lladin. Fe fyddwn yn sôn rhagor am
hon yn y bennod nesaf (tud. 98). Mae'r llyfr hwn, sef
Llyfr St. Chad, bellach yn eiddo Eglwys Gadeiriol Caer-
lwytgoed (Lichfield), ac ar y tudalen cyntaf ceir enw
Wynsi a fu'n esgob yno o 974 i 992. Yn ei amser ef yn
ddiau y daeth y llyfr o Landaf. Gwyddom hefyd am
hen lyfr arall sy'n cynnwys dwy lawysgrif Ladin a
sgrifennwyd yng Nghymru yn rhywle. Fe ddychwelwn
at eu cynnwys hwythau yn y bennod nesaf (tud. 99).
Yn Rhydychen y mae'r llyfr yn awr ers hir amser, ond yn
llyfrgell Abaty Glastonbury yr oedd yn nechrau'r unfed
ganrif ar bymtheg beth bynnag. Ar y tudalen cyntaf
ceir llun Crist a mynach wrth ei draed, a chysylltir hwn
gan draddodiad â St. Dunstan a fu'n Abad Glastonbury
tua chanol y ddegfed ganrif. Cesglir felly mai yn ei
amser ef y trosglwyddwyd y llawysgrifau o Gymru yno.
Profir gan y ddau ddigwyddiad hyn fod mynaich Cymru
a Lloegr ar delerau dymunol â'i gilydd, ac mae hynny
yn ei dro'n awgrymu bod yr hen chwerwedd rhwng y
Cymry a'r Saeson wedi ei ddofi gryn dipyn.

Dengys yr holl bethau hyn fod cryn gyfathrach rhwng
y Cymry a'r Saeson, ac nad ymladd parhaus a fyddai
rhyngddynt. Adlewyrchir hyn yn glir iawn gan y ben-
thyciadau yn yr iaith Gymraeg o'r Hen Saesneg. Yr
enw Cymraeg ar etifedd y goron oedd " gwrthrychiad
teyrnas," ond digwydd hefyd *edling* neu *edlin* neu *ethlin*,
sef ffurfiau ar yr Hen Saesneg *ætheling*. Enw ar un o
swyddogion y llys oedd *distain* o'r Hen Saesneg *discthegn*

(a gynenid *dishthein* yn yr unfed ganrif ar ddeg). Daeth *het* o'r Hen Saesneg *hæt*, *capan* o *cappa*, *hosan* o *hosa* a *sidan* o *sīde*. Mae'r terfyniad *-an* yn y tri gair olaf i'w olrhain i gyflyrau traws dosbarth arbennig o enwau yn yr Hen Saesneg. Fe'i gwelir mewn geiriau eraill a roir eto fel benthyciadau Hen Saesneg. Cawsom enghreifftiau o beth cyffelyb ymhlith y benthyciadau Lladin, megis *awdur* o *autōrem*. Benthyciwyd enwau sy'n perthyn i'r tŷ neu'r fferm : *berfa* (o *bearwe*), *cist*, *ffald*, *grwndwal* (o *grundweall*), *llyffethair* (o *lang feter* " long fetter "), *bord* a *bwrdd* (o *bord*), *lloc* (o *loc*), *rhaca* (lluosog *rhacanau*, o *raca*), *hur* (megis yn *gweithiwr hur*, o *hūr*, heddiw *hire*), *turn* *turnen* (" lathe," efallai o *turnian*), a *llidiart* (o *hlidgeat*). Sain laes *(gh)* oedd i *g* yn yr olaf, ac ychwanegiad yw'r *r* yn y gair Cymraeg. (Mae fferm heb fod nepell o Glydach Cwmtawe o'r enw *Llidiardau* a elwir ar lafar *Llidiate*). Cyfeiriwyd eisoes at *ffordd* (o *ford*), a'r Hen Saesneg *cræft* yn ddiau yw *crefft*. Daeth *bad* o *bāt*, a'r *t* wedi treiglo'n feddal ; *hebog* o *heafoc*. Cafwyd *tarian* o gyflwr traws o *targe*, a benthyciodd yr Hen Saesneg y gair o'r Hen Norseg *targe* rywbryd yn y ddegfed ganrif y mae'n bur debyg. Erbyn hyn mae'r gair benthyg hwn wedi llwyr ddisodli'r hen air Celteg *ysgwyd* neu *aes*. I droi i gylch mwynach, cawsom y gair *cusan* o'r Hen Saesneg *cyssan*. Masnach yn ddiau a roes inni'r gair *punt* o'r Hen Saesneg *pūnd*, ac efallai *pres* o *bræs* (gyda chalediad *b* i *p*). Daeth *berm berem burum berman* o *bearm*, *sucan* efallai o'r berfenw *sūcan* " sugno," *cwpan* o *cuppe*. O'r Hen Saesneg *dēor* y daeth *dewr*, o *sūr* y daeth *sur*, ac efallai inni gael *ffest* o *fest* a *glew* o *glēaw*.

Gwelir yn y detholiad hwn lawer o amrywiaeth yn yr eirfa, ac mae hynny'n beth y gellid ei ddisgwyl pan gofiwn y gyfathrach oedd rhwng y Cymry a'r Saeson fel y bras ddisgrifiwyd hi uchod. Eithr yn niwedd yr unfed ganrif ar ddeg daeth cyfnewidiad yn y gyfathrach hon, canys gorchfygwyd Lloegr gan y Normaniaid. O hynny ymlaen â'r Normaniaid yr ymladdai'r Cymry, canys pobl orchfygedig oedd y Saeson bellach, dan sawdl y

Norman. Wrth gwrs ni olygai hyn fod pob ymdrafod uniongyrchol rhwng y Cymry a'r Saeson wedi darfod, canys er i'r llywodraeth newid, yr un i raddau helaeth iawn oedd y boblogaeth gyffredin. Iaith gwerin Lloegr oedd y Saesneg o hyd, ond bod honno erbyn hyn yn dechrau mynd drwy'r un proses o ddirywiad ac adnew- yddiad ag yr aeth y Frythoneg drwyddo yn y cyfnod Rhufeinig, nes erbyn dechrau'r bymthegfed ganrif fod Saesneg Diweddar wedi dod. Yn y cyfnod canol hwn rhwng y ddeuddegfed ganrif a'r bymthegfed collodd y Saesneg yn raddol ffurfdroadau'r hen gyfnod, lluniodd rai newydd, ac yn fwy na'r cwbl derbyniodd i'w geirfa lif o eiriau Ffrangeg oddi wrth y Normaniaid oedd yn llywodraethu'r wlad. Daeth y Normaniaid i Gymru hefyd, ond yr oedd eu tynged yma yn dra gwahanol i'r hyn a fuasai yn Lloegr. Araf iawn y lledai eu hawdur- dod yng Nghymru ag eithrio yn y de-ddwyrain, ac mae'r ymladd a'r brwydro parhaus a fu rhyngddynt a'r Cymry yn rhy hysbys i ni i fynd ati i fanylu ar y pwnc yma. Rhaid cofio serch hynny i lawer o ymbriodi fod rhwng teuluoedd y tywysogion Cymreig a theuluoedd pen- defigaidd y Normaniaid. Nid perthynas rhwng y gorchfygwr a'r gorchfygedig—mewn ystyr wleidyddol, wrth gwrs—oedd hynny ychwaith, ond uno teuluoedd oedd yn gymdeithasol gyfartal â'i gilydd. Dyna feibion Llywelyn Fawr, er enghraifft, yn priodi merched ar- glwyddi'r Goror, a'i ferched yn priodi arglwyddi'r Goror. Er bod adnoddau'r Normaniaid yn fwy nag eiddo'r Gymry yr oedd yr ysbryd cenedlaethol Cymreig yn rhy gryf ac yn rhy ystyfnig i blygu'n llwyr i'r gelyn. Yn wir, ar ddiwedd y ddeuddegfed ganrif, ar ôl can mlynedd o ymosodiadau gweddol gyson gan y Norman- iaid ar y wlad, cawn fod Cymru i raddau helaeth iawn yr un ag a fuasai gynt mewn ystyr wleidyddol a chym- deithasol, er bod rhannau ohoni ym meddiant y Norman. I'r werin bobl estron a gelyn ydoedd y Norman o hyd.

Nid oedd yr amgylchiadau gwladol, felly, yn gyfryw ag i hyrwyddo'r ffordd i lif o eiriau iaith y Norman ddod i'r iaith Gymraeg yn ystod yr amser hwn yn uniongyrchol. Er hynny ceir nifer mawr o eiriau Cymraeg y gellir eu holrhain yn ôl i'r iaith Ffrangeg. Y peth tebycaf o ddigon yw bod llawer iawn, efallai yn wir y mwyafrif ohonynt wedi dod i'r Gymraeg drwy'r Saesneg. Gwelsom na allai fod llawer iawn yng nghyflwr yr iaith Saesneg ar ôl diwedd yr unfed ganrif ar ddeg i'w rhwystro hi i dderbyn yn helaeth o'r Ffrangeg, canys honno oedd iaith swyddogol y wlad. Hefyd yr oedd y Cymry, fel y dangoswyd eisoes, wedi bod am hir amser ar delerau gweddol heddychol â'r Saeson, ac ar hyd y gororau ac efallai hefyd mewn rhannau o'r de nid oedd reswm dros iddynt beidio â chadw'r berthynas honno er bod y Saeson bellach yn bobl orchfygedig. Rhaid cofio, ymhellach, mai'r iaith lafar yw'r cyfrwng hwylusaf o ddigon i fenthyca geiriau estron, ac eiddo'r bobl gyffredin yn anad pob peth yw'r iaith lafar. Cawsai'r werin Gymreig hir brentisiaeth i wybod Saesneg, a gwelwyd ei bod wedi ychwanegu peth o'i gwybodaeth at ei geirfa'i hun. Daliodd i wneud hynny, mae'n ddiau, hyd yn oed ar ôl i'r iaith Saesneg golli ei hurddas fel iaith y wladwriaeth. Erbyn hynny yr oedd yr iaith honno'n gymysgedig o ran ei geirfa am fod ynddi fenthyciadau Ffrangeg. Eithr nid oedd wahaniaeth am hynny gan y Cymry pan fyddent hwythau'n eu tro'n benthyca ar y Saeson.

Nid yn unig yn y cyfnod canol ychwaith, sef o'r ddeuddegfed ganrif hyd y bymthegfed, y bentnyciwyd geiriau o'r Saesneg i'r Gymraeg. Mae'r peth wedi para o'r amser hwnnw hyd yn awr, ac nid yw hynny'n beth i synnu wrtho chwaith pan gofir i ba raddau y mae bywyd y ddwy genedl wedi ymgymhlethu. Yr ydym bellach wedi sôn digon am fenthyca i ddangos ei bod yn hen arfer, ac nid arfer sy'n gyfyngedig i'r iaith Gymraeg mohoni chwaith. Nid yw o angenrheidrwydd yn arwydd o wendid mewn iaith nac o ddiraddiad yn y bobl y mae'r iaith yn perthyn iddynt. Mae'r dynion sy'n maentumio hynny yn anghofio'r Saesneg a'r Saeson am y tro. Cofier hefyd mai benthyciadau mewn geirfa yn unig yr ydym wedi bod yn eu trafod. Nid yw pob gair a fenthyciwyd ar lafar wedi ennill ei le yn yr iaith lenyddol, ac wrth gwrs y mae nifer mawr o'r geiriau Saesneg a ddefnyddir wrth siarad yn gwbl ddiangen am fod y geiriau Cymraeg lawn mor hysbys a dealledig â hwythau. Ar y llaw arall, mae llawer iawn o eiriau a gollfernir gan yr anystyriol fel geiriau Saesneg yn bur hen hyd yn oed yn yr iaith lenyddol, hynny yw, wedi eu derbyn i gyflawn aelodaeth o'r iaith Gymraeg gan geidwad sicraf yr athrawiaeth bur. Ond rhaid ymgadw rhag ymhelaethu ar y cwestiwn hwn, er mor ddiddorol fyddai hynny. Felly ceisiwn fwrw golwg yn fyr ar rai agweddau yn unig o'r benthyciadau Saesneg.

Yn aml iawn mae'r cyfnewidiadau a fu yn y Gymraeg ar y seiniau Saesneg yn ein helpu i weld pa mor hen yw'r benthyciad. Ni allwn fod yn sicr i drwch y blewyn, yn naturiol, gan na wyddom yn fanwl o ba ffurf Saesneg ar air y cafwyd y ffurf Gymraeg. Er enghraifft gwyddom am y gwahaniaethau oedd yn bod, ac sy'n bod, yn y tafodieithoedd Saesneg eu hunain. Yr oedd *a* fer wedi troi'n *o* yn Saesneg mewn rhai cysylltiadau yn bur gynnar megis *-an* yn rhoi *-on*. Ceir *o* mewn llawer o'r benthyciadau i'r Gymraeg, megis *hwsmon* ("houseman"), *porthmon* ("portman"), *morc* ("mark," darn o arian), *rhonc* ("rank"); ceir *ronk* yn Saesneg o'r drydedd ganrif ar ddeg i'r unfed ar bymtheg a hyd heddiw yn dafodieithol), *sbon* (yn *newydd sbon*, "span-new," gynt *sponneowe*), *ysbonc* ("spank"), *som* a *siom* ("sham," gynt *schome*). Fel rheol, er hynny, *a* sydd yn Gymraeg am *a* Saesneg, er bod rhai enghreifftiau o *e*, megis *clec*, ("clack"), *clep* ("clap," gynt *cleppe*), a *llepian* ("lap") *cwrel* ("coral"). Mae *a* hir yn Saesneg wedi troi'n rhywbeth tebyg i *e* hir Gymraeg er yn gynnar yn y bymthegfed ganrif, er mai *a* a sgrifennir o hyd yn Saesneg. Yn y benthyciadau Cymraeg *a* a geir, a rhaid bod y rhain felly'n weddol gynnar. Dyma ychydig enghreifftiau ohonynt : *ab, abl, acer, bacwn, cas* (llyfr neu glustog), *cnaf, ffrâm, nasiwn, plât, slaf, sbâr, ystad.* Eto, cadwyd *e* fer Saesneg yn Gymraeg fel rheol, ond ceir eithriadau. Sain aneglur oedd i *ĕ* ddiacen yn Saesneg, a chynrychiolir hi weithiau gan *a* yn Gymraeg, hyd yn oed mewn geiriau lle y diflannodd yn llwyr yn Saesneg, megis *broga* neu *ffroga* (Saesneg Canol *frogge*), *bwa* (S.C. *bowe*), *clopa* (o *clubbe* neu *clobbe*), *copa* (S.C. *coppe*), *twba* (S.C. *tubbe*). Cymerth y terfyniad lluosog Saesneg *-es* amryfal ffurfiau yn Gymraeg : *betys* (S.C. *betes*, y ffurf bresennol yw *beet*), *ffigys*, *poplys* ; *botas*, *taplas* ; *cwplws*, *cwtws* ; *cocos*. Cedwir y tri gair cyntaf a'r olaf yn lluosog, gwnaethpwyd ffurfiau unigol iddynt. Ond lluniwyd ffurf luosog newydd i *botas*, sef *botaṣau*, ac fel ffurfiau unigol y teimlir y lleill hefyd. Ceir hefyd ffurfiau lluosog â'r terfyniad *s* hyd yn oed mewn llenyddiaeth, megis *aliwns*, *cwrrens*, ac *wrls* (" orles ") gan feirdd y cywyddau. Mae'r ddeuair olaf yn fyw o hyd yn y de, gyda'r unigolion *cwrensen* ac *wrlyn*. Yng nghyfnod canol yr iaith Saesneg yr oedd dwy *e* hir—y naill yn agored a'r llall yn gaeëdig. Erbyn hyn nid oes wahaniaeth sain rhyngddynt, ond mae benthyciadau yn y Gymraeg yn mynd yn ôl i gyfnod pan oedd gwahaniaeth. Mae'r hen *ē* agored yn *e* yn Gymraeg, megis *apêl*, *mên*, *sêl*, *stêm*, *trêt* ; a'r hen *ē* gaeëdig yn *i*, megis *bir* (" beer ") *clir*, *gris* (S.C. *grece* a *grice*), *sir* (S.C. *chere*, yn awr *cheer*—o *sir* y daw *siriol*). Cedwir hen sain *i* hir yn *dis*, *pris* a *sir* (" shire "), ond ceir dipton yn *beibl*, *teilys*, *sgweir* a *weir*. Mae *u* hir (h.y. *ŵ*) wedi troi'n ddipton yn aml yn Saesneg lle y cedwir *w* yn Gymraeg, megis *clwt* (" clout "), *fflŵr* (" flour "), *hwsmon* (" houseman "), *hwswi* (neu *hyswi*, " housewife "), *gŵn* (" gown "), *pwd pwdu* (" pout "). Diddorol fyddai sylwi ar ychydig bwyntiau ynglŷn â'r cytseiniaid. Un ohonynt yw'r calediad sydd wedi digwydd yn y Gymraeg, megis *pastwn* (S.C. *bastun*), *potel*, *tropyn*, *cwter* (" gutter "), *coblyn* (" gobblin "). Ceir *c* ar ddechrau gair yn Gymraeg lle y diflannodd yn Saesneg (er yr ail ganrif ar bymtheg,) megis *cnaf*, *cnap*, *cnoc*. Ysgrifennir a seinir *l* yn y gair *fault*. Tua dechrau'r ail ganrif ar bymtheg y dechreuwyd seinio'r *l*, ac erbyn diwedd y ddeunawfed ganrif ystyrid peidio â seinio'r *l* yn beth go isel. Ond yr enw gan lowyr Cwmtawe ar *fault* yn y wythïen lo hyd heddiw yw *ffôt*, fel y ceir *fôt* am *vault* (gair y mae i'w gynaniad Saesneg gyffelyb hanes ag sydd i *fault*). Digwydd yr olaf yn y ffurf *fawt* yn y cywyddau. Wrth gwrs o'r Ffrangeg y daeth y ddau air hyn i'r Saesneg, ac efallai mai o'r Ffrangeg y daeth *fawt* hefyd. Ond diau mai o'r Saesneg y cafwyd *ffôt* a *fôt*. Ar y llaw arall sgrifennir *l* ond nis seinir yn *chalk*, ac ymddengys ei bod yn fud er diwedd yr unfed ganrif ar bymtheg. Eithr *sialc* ydyw yn Gymraeg. Gwelir yma *si* yn cyfateb i'r *ch* Saesneg, a cheir yr un peth mewn geiriau fel *siars* (" charge "), *siawns*. Fel y nodwyd o'r blaen (td. 69), saif *si* am y sain Saesneg *sh*. Efallai y byddai'n fuddiol yma ddyfynnu disgrifiad William Salesbury o'r sain honno. (Er mwyn yr anghyfarwydd fe'i rhoddaf yn ein horgraff ni heddiw).

" Sh, pan ddêl o flaen un fogal (*llafariad*), un fraint â'r sillaf hwn, " ssi," fydd, fel hyn— *shappe* (h.y. *shape*) " ssiapp," gwedd ne lun ; *shepe* (h.y. *sheep*) " ssiip " dafad ne ddefaid."

Sh yn dyfod ar ôl bogal, yn " iss " y galwant : fegis hyn, *asshe* (h.y. *ash*) " aiss " onnen ; *wasshe* (h.y. *wash*) " waiss " golchi. Ac ym mha ryw fan bynnag ar air y dêl, ssio fal neidr gyffrous a wna, nid yn anghysylltbell oddi wrth sŵn y llythyr Hebrew a elwir *achin*. Ac o mynni chwaneg o hysbysrwydd ynghylch ei llais, gwrando ar bysgod cregin yn dechrau berwi, o damwain un waith iddynt leisio. Cymerwch hyn o athrowlythyr cartrefig rhag ofn na chyrhaeddo pawb ohonoch gaffael wrth ei law dafodiog Seisnig i'w haddysgu." Felly i William Salesbury yr un sain oedd i *sha* ag i *sia* (neu *ssia* yn ei orgraff ef) yn y geiriau uchod. Yn *siom*, cyfystyr oedd *si* a'r *sh* Saesneg yn *shame*. Ni allai rhai Cymry ei seinio, a'u cynaniad hwy ydoedd y ffurf amrywiol *som* a roddwyd eisoes.

Ni allwn ymaros yn hwy gyda'r benthyciadau Saesneg, er na soniwyd ond am ychydig iawn o'r pwyntiau diddorol a gyfyd wrth eu hastudio. Dywedwyd yn barod fod llawer o'r benthyciadau hyn wedi dod o'r Ffrangeg i'r Saesneg, ac y gallai rhai ohonynt ddod yn syth i'r Gymraeg o'r Ffrangeg. Beth bynnag am hynny, mae'n bur sicr bod geiriau wedi eu benthyca felly. Mae'n ddiau fod yr iaith Ffrangeg, yn ei ffurf Normanaidd, wedi dod gydag amser yn bur gyfarwydd yn llysoedd y tywysogion. Mae rhai o chwedlau a rhamantau'r oesoedd canol yn dyst huawdl bod ysgolheigion o Gymry'n hyddysg iawn yn yr iaith honno. Mae yn y rhamantau hynny eiriau a gymerwyd yn eu crynswth bron o'r Ffrangeg y cyfieithwyd hwy ohoni. Dyna ffynhonnell geiriau fel *twrneimant*, *bwcran*, *pali* a *swrcot* efallai. Gallai geiriau fel hyn yr un mor hawdd ddyfod o fywyd y llys wrth gwrs. Dysgodd y Cymry lawer am gampau ac am ymladd gan y Normaniaid. Yr oedd y Norman yn adeiladwr cestyll gwych, a gall mai ganddo ef y dysgodd y Cymro'r gair *twˆr*, er enghraifft. Cododd drefi yng Nghymru, ac un o ganlyniadau hynny oedd y gair *bwrdais* yn y Gymraeg. Dichon eto inni gael *palffrai*, enw ar geffyl, o'r Ffrangeg; a hefyd y gair *harnais*. Yr enw ar gloc oedd *horloge*; rhoes hwn *orloes*, *orlaes* ac *orlais* yn Gymraeg. Gall dimai fod yn ffurf ar y Ffrangeg *demi* "hanner," sef hanner ceiniog. Digwydd droeon y gair *geol* "carchar." Cyfetyb y Saesneg Canol *gayol* iddo (bellach *gaol*). O'r Hen Ffrangeg Normanaidd *gaiole* y daw'r ddau, a'r tebyg yw iddo fynd yn syth i'r ddwy iaith. Dodid darn o ddur ar flaen saeth a saethid o'r bwa croes neu'r albras, er mwyn iddi glwyfo'n sicrach ac yn dostach. Yr enw Hen Ffrangeg arno oedd *quarrel*, ac fe'i ceir yn Gymraeg yn y ffurfiau *chwarel* a *cwarel*. Am fod iddo bedair ochr y gelwid *quarrel* arno. Yr oedd pob un o'r ochrau yn driongl (a gwelir ffurf felly o hyd mewn ffenestri hen ffasiwn). Mae'r gair *cwarel* yn fyw o hyd yn Gymraeg fel enw ar ddarn o ffenestr, neu'n wir am y ffenestr os undarn fydd, " ffenest un cwarel." O'r Hen Ffrangeg *arbaleste* hefyd y daw *albras* neu *albrys*, efallai drwy'r Saesneg *arblast* neu *arblest*. Rhoes y Ffrangeg *fiole* y gair *ffiol* yn Gymraeg a'r Saesneg Canol *fiole* hefyd. Fe welir yn gyson fod yr un geiriau Ffrangeg yn digwydd bron yn yr un ffurf yn Saesneg ac yn Gymraeg, nes ei gwneud yn anodd iawn penderfynu'n fanwl sut y cawsom ni hwynt. Gan ein bod wedi rhygnu mor aml ar y tant hwn, efallai mai priodol fyddai cloi'r adran hon drwy ddweud bod y gair cyffredin *perot* yn anhysbys yn y ffurf hon yn Saesneg ond bod y ffurf *pérot* yn digwydd yn Ffrangeg.

I orffen y bennod hon, gallwn gyfeirio at y ffaith bod cyfieithu'r Beibl wedi rhoi i'r iaith rai geiriau Hebraeg nad oes angen inni fanylu arnynt. Trwy'r un cyfrwng y daeth *iot* i ni o'r iaith Roeg. Mae llawer iawn o eiriau benthyg yn ein llenyddiaeth na chawsant, ac na chânt byth efallai, gylchrediad eang ar lafar, ac mae'r gwrthwyneb hefyd yr un mor wir. Pryd bynnag y daw galw am air newydd ar beth neu ar brofiad newydd mae pob iaith yn sicr yn y diwedd o gael gafael ar un, drwy greu o'r newydd neu drwy fenthyca, neu weithiau drwy atgyfodi'n hapus hen air marw a rhoi bywyd newydd ynddo. Cymerer un enghraifft. Yn Niwygiad Mawr y ddeunawfed ganrif ymgynullai'r dychweledigion brwd ynghyd mewn cyfarfodydd arbennig i ymgadarnhau yn eu ffydd newydd. Daeth angen am enw arno, ac fe'i galwyd yn *Society*. Cymreigiwyd yr enw hwn yn *Seiat*. Yr enw cyntaf a glywais i'n bersonol arno ydoedd *Cyfeillach*, a gallaf gofio'n awr fy anwybodaeth lwyr, pan oeddwn yn grwt, o'r hyn a alwai Daniel Owen yn *Seiat*. Er mai gair go ifanc yw Seiat, ac nad yw ond llygriad o air Saesneg—mae'n llawer iawn iau nag *awdwyr* a *dweud* ! —mae'n air Cymraeg gwych ag iddo ystyr bendant a manwl sy'n gyfyngach nag ystyr y gair Saesneg y tarddodd ohono. Hwyrach y goddefir imi fynegi yma fod y ffasiwn bresennol o alw Cynghrair y Cenhedloedd yn Seiat y Cenhedloedd yn rhoi i mi ryw gam flas. Ond efallai mai mater o chwaeth yw hynny.

CYFNODAU'R IAITH GYMRAEG

R HENNIR hanes iaith yn wahanol gyfnodau, a cheisir dangos yn y bennod hon pa fodd y gwneir hynny gyda'r iaith Gymraeg. Rhaid cofio serch hynny nad yw'n hawdd bob amser inni dynnu'r llinell derfyn rhwng y gwahanol gyfnodau yn bendant a manwl o ran blwyddyn na chanrif chwaith. Pwysleisiwyd droeon drwy'r llyfr hwn mai araf iawn y bydd iaith yn datblygu a newid, ac ni ellir dweud hyd drwch y blewyn pa bryd y bu cyfnewidiad, neu pa bryd y dechreuodd a pha bryd y darfu. Drachefn pan astudir yr iaith yn y gorffennol, fe'n cyfyngir i'r llenyddiaeth y digwyddwyd ei chadw, ac ychydig iawn o dystiolaeth uniongyrchol a ddyry honno i ni am gyflwr llafar yr iaith. Awgrymwyd droeon na chroniclir cyfnewidiad mewn ysgrifen am flynyddoedd lawer ar ôl iddo ddigwydd ar lafar. Yr ŷm ni oll yn dal i sgrifennu ffurfiau fel *dygant, daethant,* a *cwynant,* er na chlywir *-ant* byth ar lafar naturiol, ac er bod tystiolaeth bendant (fel y dangoswyd o'r blaen, td. 28) yn Llyfr Du Caerfyrddin, a sgrifennwyd yn niwedd y ddeuddegfed ganrif, dros saith gan mlynedd yn ôl, eu bod y pryd hwnnw yn seinio *-an* yn y ddeuair hyn, gan eu bod yn odli â (*g*)*welwgan, Elgan, tarian, cyflafan.* Ysgrifennwyd *dygan, deuthan, kuynan* yn y Llyfr Du, ond sgrifennwyd yn yr un gerdd *ny thauant* (" ni thawant ") er bod yr odl yn galw am *an* yma hefyd. Swm y cwbl yw bod llenyddiaeth ysgrifenedig yn ein camarwain ynglŷn â'r ffurf lafar gyffredin yn aml iawn, os nad yn wir gan amlaf. Yn y mater bach hwn, felly, mae ein llenyddiaeth yn bendant iawn o blaid yr *nt* ar ddiwedd y ffurfiau hyn hyd heddiw, er y gallwn fod yn sicr mai *n* a seiniai pawb o'r ddeuddegfed ganrif ymlaen. Yn hyn o beth, fel mewn llawer peth arall, ceidwadol iawn fu'r iaith lenyddol ar hyd yr oesau. Pwysleisir hyn eto, er mwyn

95

rhybuddio'r darllenydd pa fodd y dylid iawn ystyried yr hyn a roir yn amser i wahanol gyfnodau hanes iaith.

Mae'n arferol rhannu hanes y Gymraeg yn bedwar prif gyfnod, y cyfnod cynnar, yr hen gyfnod, y cyfnod canol, a'r cyfnod diweddar. Mae gennym gyflawnder o ddefnyddiau at astudio'r iaith yn y cyfnod diweddar, a stoc weddol helaeth at y cyfnod canol. Ond prin ydynt pan awn yn ôl i'r hen gyfnod a phrin y ceir dim yn y cyfnod cynnar. Gan hynny, dichon y byddai'n ddiddorol ac yn fuddiol inni fanylu tipyn ynglŷn â defnyddiau'r ddau gyfnod cyntaf a'r goleuni a roddant inni ar gyflwr yr iaith yr amser hwnnw. Fe ddechreuwn gyda'r hyn a elwir yn gyfnod cynnar. Cychwynnodd hwn mewn ystyr gydag adfeiliad y Frythoneg, canys gwelsom mai o'r adfeilion hynny y tarddodd y Gymraeg. Ofer fyddai ceisio penderfynu'r flwyddyn na'r ganrif chwaith pryd y ganed y Gymraeg. Ond y terfynau bras a roir i gyfnod cynnar yr iaith yw o'r amser pan ymwahanodd yn bendant â'r famiaith Frythoneg hyd ddiwedd yr wythfed ganrif. Fel y dywedwyd uchod nid oes gennym ond rhyw fanion o'r cyfnod hwn. Ysgrifennodd Beda ei *Hanes Eglwysig Cenedl yr Eingl* yn nechrau'r wythfed ganrif. Cyfeiria yn y gwaith at yr ymladd rhwng yr Eingl a'r Brython, ac mewn copi o'r gwaith a ysgrifennwyd yn 737 digwydd yr enwau *Carlegion, Bancor*, a *Dinoot*. Y ffurfiau presennol yw *Caerlleon* (Fawr), *Bangor* (Iscoed), a *Dunod*. Sonia hefyd am ŵr o'r enw *Brocmail*, sef yn ddiweddarach *Brochfael* a *Brochwel*. Abad Bangor Iscoed oedd y Dunod hwn, a sôn y mae Beda amdano mewn cynhadledd gydag Awstin, efallai yng Nghaer yn 601. Digwydd y tri enw arall yn yr hanes a ddyry Beda am frwydr Caer yn nechrau'r seithfed ganrif. Mae'n ddigon posibl felly iddo gael yr holl enwau mewn hen gofnodion neu groniclau o'r cyfnod hwnnw. Sut bynnag am hynny yr ydym yn sicr o ffurfiau'r enwau hyn yn nechrau'r wythfed ganrif, a dweud y lleiaf. Dangosant fod yr iaith wedi colli'r hen ffurfdroadau. Nid *Broccomaglos* sy ganddo ond *Brocmail*. Beth bynnag yw tarddiad y gair *caer*, gwyddom nad yw *lleon* ond cymreigiad o'r Lladin *legionum*, cyflwr genidol lluosog *legio* a roes *lleng* i ni. Felly *caer y llengoedd* yw ystyr Caerlleon. Ond gwelwn fod yr hen derfyniad -*um* wedi diflannu. Eto cymreigiad yw Dunod o'r Lladin *Dōnātus*. Yr oedd y terfyniad wedi colli erbyn amser Beda. Saif ei *i* ef yn y gair am yr *u* Gymraeg, a ddaeth o'r *ō* Ladin, ac ymgais amlwg yw ei *oo* i gyfleu'r sain yr oedd yr *ā* Ladin wedi datblygu iddi yn Gymraeg. Dywedwyd o'r blaen fod *ā* Ladin wedi rhoi *aw* Gymraeg. Cyn iddi wneud hynny diau iddi droi'n sain debyg i'r gair Saesneg *awe* neu sain y llafariad yn y Saesneg *all*. Dyna'r sain a gynrychiola *oo* Beda efallai. Diptoneiddiwyd hon i *aw* yn Gymraeg, ond yn y Gernyweg a'r Llydaweg ni roes ddipton ond y llafariad *o*, a aeth yn ddiweddarach yn y ddwy iaith yn sain debyg i'r *y* dywyll Gymraeg, megis yn *prynaf*. Dylid nodi nad yw *Brocmail* Beda yn cynrychioli'r seiniau llafar yn y cyfnod hwnnw. Pe buasai, *Brogfael* fyddai'r ffurf heddiw, canys rhoesai *cm* rhwng llafariaid *gf*. Mae'n ddiau bod *Brochfael*—a rhoi'r sain Gymraeg i'r arwyddion—yn nes at y cynaniad. Yr oedd yr orgraff ar ôl yr oes, fel petai. Mae hynny i'w weld yn y defnyddiau eraill sy gennym at astudio iaith y cyfnod cynnar, ac yn wir drwy'n llenyddiaeth hyd ddiwedd y cyfnod canol o leiaf.

Ceir arysgrif Gymraeg ar faen coffa sydd yn awr yn eglwys Tywyn Meirionnydd. Gall hon fod yn perthyn i'r seithfed ganrif, a hi yw'r arysgrif hynaf a feddwn yn yr iaith Gymraeg. Mae hon a'r ychydig eiriau a ddyry Beda wedi eu sgrifennu o fewn y terfynau a osodir i'r cyfnod cynnar. Nid felly'r defnyddiau eraill, canys copïau diweddarach ŷnt hwy o bethau a sgrifennwyd yn y cyfnod cynnar. Math o hen gronicl yw un ohonynt o achau brenhinoedd y Saeson o 547 hyd 685. Tybir ei sgrifennu gyntaf yn y seithfed ganrif ond ysgrifennwyd y

copi hynaf ohono a oroesodd rywle o gwmpas y flwyddyn
1100. Yn hwn sonnir am *Talhaern Tat Aguen, Mailcun,
Urbgen, Riderch,* a *Morcant,* sef erbyn hyn Talhaearn Tad
Awen, Maelgwn, Urien, Rhydderch, a Morgan. Yn
olaf cawn ddarnau o Gymraeg Cynnar yn Llyfr St. Chad,
y buom yn sôn amdano yn y bennod flaenorol (tud. 86).
Copi o'r efengylau yn Lladin ydyw, a sgrifennwyd yn
niwedd y seithfed ganrif ac a brynwyd i'w roi i Dduw a
Theilo. Ar ymyl y dail yma a thraw ceir mân gofion a
ysgrifennwyd cyn i'r llyfr ymadael â Chymru. Ar ben
y tudalen lle y daw diwedd Efengyl Mathew ceir copi
talfyredig a sgrifennwyd yn nechrau'r nawfed ganrif, o'r
weithred Ladin sy'n cofnodi prynu a rhoi'r llyfr i fyn-
achlog Llandaf. Dano, ond wedi ei sgrifennu o'ı flaen,
ceir copi o weithred Gymraeg (gydag ychydig Ladin)
yn cofnodi dadl am dir a dyfarniad y barnwyr o blaid yr
hen ddeiliaid. Un o'r tystion i'r weithred hon yw
Teliau, sef Teilo ei hun, a fu farw tua 580. Hwn yw'r
darn hynaf o Gymraeg ysgrifenedig a feddwn, ac ysgrif-
ennwyd ef yn niwedd yr wythfed ganrif. Ond gwelir
mai copi ydyw o weithred Gymraeg o'r chweched ganrif.
Mae iddo felly ddiddordeb dau ddyblyg. Dywedir bod
un *Tutbulc* (Tudfwlch) a mab yng nghyfraith *Tutri*
(Tudri) wedi codi *di erchim tir telih hai oid ilau elcu* (i erchi
Tir Telych a oedd yn llaw Elgu). Bu hir ymryson am y
tir, neu fel y dywedir, *amgucant pel amtanndi* (amugant
bell amdani). Mae *amwyn,* y berfenw a gyfetyb i
amugant, yn air marw erbyn hyn, ond ceir y ferf yn aml
yn y cyfnod canol. Yr ŷm ni o hyd yn arfer yr ansodd-
air *pell* gydag amser, fel y gwelir hwy'n gwneud yn y
cyfnod bore hwn. Ar ôl yr ymryson cawn *ir degion*
(yn ddiweddarach *y deon,* sef y gwyrda) yn annog ei
gilydd " *guragun tagc* " (gwnawn danc, sef *tang*nefedd).
Rhoes Elgu roddion ar yr amod na bai cas rhyngddynt
hit did braut (hyd ddydd brawd), a dywedir na fyn
Tutbulc hai cenetl (Tudfwlch a'i genedl, sef ei dylwyth)
ddim hawl wedyn *in ois oisou* (yn oes oesau).

Dyfynnwyd digon i ddangos rhai o nodweddion Cymraeg ysgrifenedig y cyfnod cynnar. Gwelir esgeuluso ffurfiau treigledig cytseiniaid hyd yn oed yng nghanol gair, megis *Brocmail* am *Brochfael*, *Mailcun* am *Maelgwn*, *Morcant* am Morgan, neu *Tutbulc* am Tudfwlch. Ni cheir *y* nac *w*, ond saif *i* am y blaenaf ac *u* am yr olaf. Am *w* gytsain yng nghanol gair ceir *gu*, megis yn *aguen* (awen). Yn lle *eu* neu *au* gwelir *ou*, megis yn *oisou*; yr ŷm ni wedi sôn am hyn o'r blaen. Dengys *Teliau* y llafariad *e* yn sefyll am y ddipton *ei*; digwydd hefyd yn yr un darn y ffurf *be* am *bei* neu *bai*, sef y ferf. Yn *erchim* cawn yr hen derfyniad berfenwol *-im*, a seinid *-if*; yn ddiweddarach collwyd yr *f* ac felly *-i* yw'r terfyniad yn awr. Gwelsom yn barod fod *g* rhwng llafariaid wedi diflannu, ond weithiau wedi rhoi *i*-gytsain. Yn yr enghreifftiau a roir uchod gwelir ysgrifennu *g* o hyd er bod y meddalu wedi digwydd eisoes yn ddiau. Felly er mai *Urbgen* a ysgrifennid, *Urfien* a gynenid, ac wedi colli'r *f* cawn *Urien*. Pan ddown at y cyfnod nesaf yn hanes yr iaith cawn weld yr un nodweddion yn para o hyd.

Wrth gyfnod yr Hen Gymraeg golygir y cyfnod o ddechrau'r nawfed ganrif hyd ddiwedd yr unfed ganrif ar ddeg. Mae gennym lawer mwy o weddillion yr iaith yn y cyfnod hwn nag yn y cyfnod cynnar er eu bod yn ddigon tlodaidd. Cynhwysant yn bennaf yr hyn y rhoir yr enw glosau arnynt, sef nodiadau ar eiriau Lladin yn y testunau a ddarllenid yn yr "ysgolion." Mae pedwar casgliad o'r glosau hyn wedi eu cadw, dau yn Rhydychen a dau yng Nghaergrawnt. Perthyn yr hynaf o'r llawysgrifau i ddechrau'r nawfed ganrif, y flwyddyn 817 y mae'n debyg, ac i'r un cyfnod efallai y dylid rhoi'r glosau. Cyfrifon mesurau a phwysau a math o almanac am y blynyddoedd o 817 i 835, y cwbl yn Lladin, sydd yn y llawysgrif, ac mae'r Cymro a fu'n astudio'r mesurau hyn wedi ysgrifennu rhwng y llinellau ac ar yr ymylon nodiadau yn Gymraeg i'w helpu i

ddeall y testun. Wedi ei gydrwymo yn yr un gyfrol
(sydd yn awr yn Llyfrgell Bodley yn Rhydychen),
gyda homili Hen Saesneg a gramadeg gan Eutyches
(sy'n cynnwys glosau Hen Lydaweg), y mae llawysgrif
yn cynnwys llyfr cyntaf *Celfyddyd Garu* Ofydd, y bardd
Lladin. Perthyn hon i'r nawfed a'r ddegfed ganrif, a
chynnwys hithau nifer o losau Hen Gymraeg. Yr
oedd y gyfrol gynt yn llyfrgell Abaty Glastonbury, a
rhoddwyd peth o'i hanes eisoes yn y bennod flaenorol
(td. 86). Yn Rhydychen hefyd ceir cyfrol gymysg arall
o bedwar gwaith, gyda glosau Hen Gernyweg yn un
ohonynt a rhai Hen Gymraeg mewn un arall. Math o
lyfr ymddiddan Lladin yw'r olaf. Rhoir geiriau
Cymraeg cyfatebol i eiriau Lladin, gan amlaf rhwng y
llinellau ond weithiau yng nghorff y testun Lladin ei
hun. I'r ddegfed ganrif y perthyn y rhain.

Yn Llyfrgell Prifysgol Caergrawnt ceir llawysgrif yn
cynnwys copi o drosiad mydryddol Lladin o'r Efengylau
yn y mesur chweban gan Caius Vettius Aquilinus
Juvencus. Fe'i copïwyd yn y nawfed ganrif gan ŵr o'r
enw Nuadu, ac awgryma'r enw mai Gwyddel oedd,
canys ffurf Wyddeleg ydyw, yn cyfateb i'r Gymraeg
Nudd. Ceir glosau Cymraeg, nifer go fawr ohonynt,
ar y gwaith hwn, o'r nawfed ganrif hyd yr unfed ar ddeg.
Mae olion lled Wyddelig ar amryw o'r rhain, fel petai
llaw rhyw Wyddel danynt. Ond y peth mwyaf diddorol
yn y llyfr hwn yw bod ynddo ddau gasgliad o englynion
(o'r hen ganiad), y naill yn cynnwys tri englyn hiraeth
neu alar, o'r nawfed ganrif, a'r llall naw englyn duwiol,
o'r ddegfed ganrif. Yn llyfrgell Coleg Corff Crist
Caergrawnt ceir llawysgrif o'r nawfed ganrif o waith
" gwyddoniadurol " gan Martianus Capella, *Am Briodas
Philologia a Mercher*, llyfr a gâi le pwysig a pharchus yn
ysgolion yr oesau canol. Mae nifer mawr o losau
Cymraeg yn hwn eto, ac ysgrifennwyd hwythau gan
mwyaf yn y nawfed ganrif. Mae'n dra thebyg mai i
Dyddewi y perthynai'r gyfrol cyn iddi fynd i feddiant

yr Archesgob Parker ac yna i Gaergrawnt. Yn yr un coleg mae copi o draethawd Awstin ar y Drindod, a wnaethpwyd rhwng 1080 a 1091 gan Ieuan ap Sulien, efallai ym mynachlog Llanbadarn Fawr. Ar ymyl uchaf un tudalen ceir englyn Hen Gymraeg i Badarn. Eto yn Llyfrgell y Brifysgol ceir un ddalen, gweddill rhyw lawysgrif, ac arni bedair llinell ar hugain o Gymraeg a ysgrifennwyd yn gynnar yn y ddegfed ganrif. Darn o esboniad yw hwn ar draethawd ar seryddiaeth sy'n seiliedig ar un o weithiau Beda.

Dyna'r cwbl o weddillion Hen Gymraeg a feddwn wedi eu hysgrifennu o fewn terfynau'r cyfnod hwnnw. Ond ceir mewn llawysgrifau o'r ddeuddegfed ganrif, ac wedi hynny hefyd, gopïau o bethau a ysgrifennwyd yn ddiau yn yr hen gyfnod. Digwydd y pwysicaf ohonynt yn Llyfr Llandaf, a ysgrifennwyd tua'r flwyddyn 1150. Yn y llyfr hwn ceir llawer iawn o bob math o bethau a oedd yn bwysig ac yn ddiddorol hefyd i eglwys Llandaf, yn fucheddau saint ac esgobion, ac yn gofnodion pwysig ynglŷn ag eiddo'r eglwys. Yn Lladin yr ysgrifennwyd y rhain gan mwyaf, ond digwydd llawer iawn o enwau priod, yn arbennig, yn y gweithiau hynny mewn ffurf hen Gymraeg. Ond pwysicach na'r rheini yw ffiniau llawer iawn o blwyfi, a gopïwyd yn nodedig o ffyddlon o weithredoedd a oedd lawer yn hŷn, ac y mae'r rhai hyn yn rhan werthfawr o'n defnyddiau hen Gymraeg. Heblaw'r ffiniau, ceir hefyd weithred sy'n cynnwys *Cymreith ha bryein eccluys Teliau o Lanntaf* (Cyfraith a braint eglwys Teilo o Landaf), hon hefyd mewn ffurf hen Gymraeg. Ymhellach, ceir ychydig eiriau Cymraeg o'r nawfed ganrif yn y manion a sgrifennwyd yn Llyfr St. Chad cyn iddo fynd i Loegr. Eto, yn yr un llawysgrif ag y digwydd yr achau brenhinoedd y Saeson y cyfeiriwyd atynt wrth roi'r defnyddiau Cymraeg Cynnar, ceir y cronicl hanes Cymru hynaf, sef yr *Annales Cambriae*, ac ar ei ôl nifer o achau brenhinoedd Cymreig. Rhoddwyd y cwbl ynghyd gyntaf yn niwedd y ddegfed ganrif, ond tua'r flwyddyn 1100 yr ysgrifennwyd y copi hynaf sy'n hysbys yn awr. Mae'n sicr bod y sawl a wnaeth y copi, neu awdur y copi a ddefnyddiai ef o'r gwaith gwreiddiol, heb fedru Cymraeg, ac felly hyd eithaf ei allu wedi cadw'r geiriau fel yr oeddynt yn eu ffurf Hen Gymraeg. Enwau priod ydynt gan mwyaf, ond dig-wydd ambell air cyffredin hefyd.

Ceisiwn yn awr grynhoi ynghyd rai o brif nodweddion iaith yr hen gyfnod. Ni nodir treigliad cytsain ar ddechrau gair byth, a phrin y nodir hynny yng nghanol neu ar ddiwedd gair. Dyma ychydig enghreifftiau : *anamou* (anafau), *atar* (adar), *trucarauc* (trugarog), *datlma* (dadlfa), *Lantam* (Llandaf, hefyd *Lanntaf*), *Armterid* (Arfderydd, yna Arderydd), *nimer* (nifer), *papou Rumein* (pabau Rhufain), *douceint* (deugain), *merc* (merch), *cilcet* (cylched), ond hefyd *cilchetou* (cylchedau). Ceir *gu* am *w*-gytsain ynghanol gair, megis *petguar* (pedwar), *Degui* (Dewi), *gulleugin* (gollewin, yn awr gorllewin), *Etguin* (Edwyn). Am *ae oe* ceir *ai oi* : *guarai* (gwarae), *mair* (maer), *main* (maen), *ois* (oes, yr enw a'r ferf), *oit* (oed), *oid* (oedd). Ond digwydd *gaem*, hynny yw *gaef*, hen ffurf ar *gaeaf*, ac ar y llaw arall *dair* yr hen ffurf ar *daear*. Diddorol sylwi bod yr olaf wedi cadw yn y ffurf *daer* neu *dâr*, er enghraifft yn emynau Pantycelyn. I'r ddipton *wy* ddisgynnol (megis yn *llwyd*) cyfetyb *oi* neu *ui* : *oith* (wyth), *troi* (trwy), *bloidin* (blwyddyn), *guaroiou* (gwarwyau), *guaroimaou* (gwarwyfâu, glos ar y Lladin *theatris* ; oni ellid atgyfodi *gwarwyfa* fel enw Cymraeg ar *theatre* yn lle *chwareudy*?) ; *notuid* (nodwydd), *morduit* (morddwyd), *duiutit* (dwywdid neu dwydid " duwdod "), *cimarguitheit* (cyfarwyddiaid). Nodir *aw* ag *au*, *ew* ac *eu* ; yn wir ni ddigwydd *w* o gwbl, eithr defnyddir *u* am *w* ac *u*. Felly ceir *aur* (awr), *maur* (mawr), *peteu* (pydew). I gyfateb i *eu* neu *au* heddiw *ou* a geir ; *aperthou* (aberthau) *guoun* (gwaun), *hithou* (hithau), *Melltou* (Melltau, yr afon Mellte), *nouodou* (neuaddau), *abalbrouannou* (afal-freuannau, " Adam's apple " y Sais). Ceir *e* yn fynych am *ei*, er bod *ei* hefyd i'w gael yn aml : *telu* (teilu, yr hen ffyrf ar *teulu*), *Enniaun* (Einiawn, Einion), *mepion* (meibion), *cep* (caib), *guerclaud* (gweirglawdd). Yn englynion y Juvencus ceir *per* (pair), *couer* (cywair) yn odli â *Meir* (Mair). Ni ddigwydd *y* ond yn anfynych iawn, a hynny tua diwedd y cyfnod, ag eithrio'i bod yn digwydd yn y ddipton *oy* (am yr *oi* arferol, *oe* yn awr) yn *loyr* (lloer) yn y ddegfed ganrif. Gellir ychwanegu *Tancoyslt* am *Tancoystl*, yn ddiweddarach Tangwystl (a geir o hyd yn yr enw Ynystanglwys yng Nghwmtawe, gydag ychydig newid hawdd ei ddeall). Yn y llawysgrif o waith Ieuan ap Sulien y cyfeiriwyd ati eisoes, cawn y ffurf *Cyrguenn* gydag *y* ; *Cirguen* yw'r ffurf mewn copi o'r drydedd ganrif ar ddeg o Fuchedd Ladin Padarn. Cyrwen, sef enw bagl y sant, yw'r ffurf ddiweddarach. Ond y rheol gyffredinol yw bod *i* yn sefyll am *y*, megis *gilbin* (gylfin), *tritid* (trydydd), *bid* (bydd). Ffurf y fannod yw *ir* (prin iawn y ceir hi heb *r*, hyd yn oed o flaen cytsain)—*ir bis bichan* (y bys bychan), *ir maut* (y fawd), *Allt ir Cicbran* (Allt y Gigfran). Ffurf yr arddodiad *i* yw *di*, a saif yn ddiau am *ddi* ; er enghraifft, *or glasguern dir dubnnant du* (o'r laswern i'r dyfnant du). Dywedir bod holl gyfraith eglwys Llandaf *didi hac dy thir hac di dair* ("iddi ac i'w thir ac i'w daear "). Yma hefyd gwelir *hac* am ein *ac* ni ; *ha* a geid am *a*, megis mewn gweithred sy'n tystio bod Duw a St. Eludd (sef Teilo) i gael gan ryw bobl a enwir, ymhlith pethau eraill *douceint torth ha maharuin in ir ham ha douceint torth in ir gaem* (deugain torth a maharen yn yr haf a deugain torth yn y gaeaf—aeth *maharwyn yn maharaen* ac yna'n *maharen*). Un peth arall a welir yn Hen Gymraeg yw nad oedd *y* eto wedi tyfu o flaen geiriau yn dechrau ag *s* a chytsain neu gytseiniaid eraill. Er enghraifft, daw *ystafell* o ryw ffurf Ladin megis *stabellum* ; yn y lluosog, *ystefyll*, ac yn Hen Gymraeg *stebill*. Felly cyfetyb hefyd *scipaur* i *ysgubor*. Wrth gwrs ceir geiriau fel hyn heb *y* heddiw, ond yn unig pan fo'r gair yn drisill neu'n hwy. Yn

Hen Gymraeg, fodd bynnag, cawn *scribl* yn cyfateb i *ysgrubl* (gyda'r acen ar y sillaf gyntaf), a hefyd *strat* yn cyfateb i *ystrad*.

Mae'r ddwy enghraifft olaf hyn yn dwyn i'n sylw beth pwysig iawn, sef safle'r acen yn yr iaith Gymraeg. Gwelwn ein bod ni heddiw yn rhoi'r acen yn y gair *ystrad* ar lafariad nad oedd yn bod yn y gair un tro, gan mai *strat* (hynny yw, strad) oedd y gair. Hefyd ni byddwn byth yn colli'r *y* o ystrad, fel y collwn yr *y* o o *ystryd*, a acennir ar y sillaf olaf, gan ddweud *stryd*. Ychwanegiad yw'r *y* yn *ystryd* hefyd, canys benthyg o'r Saesneg *street* ydyw. Eto benthyg o'r Lladin *spirĭtus* yw *ysbryd*, lle y ceir *y* anorganig a acennir er hynny ac nas collir byth. Yn awr mae'n weddol sicr bod yr acen yn y Frythoneg fel rheol ar y goben neu'r sillaf olaf ond un. Felly fe gynenid y Lladin *spiritus* yn *spirĭtus*; rhoes hwn y Cernyweg *spyrys* a'r Llydaweg *spered*, a disgwylid *spyryd* mewn Cymraeg. Byddai'r acen i ddechrau ar y sillaf olaf, *spyryd*, a diau bod llafariad y goben wedi diflannu'n gynnar yn Gymraeg, gan roi *sbryd* i ddechrau, sillaf acennog. Wedyn tyfai'n *ysbrŷd*, a'r acen yn cadw ar yr un sillaf o hyd. Nid yr un sain oedd i'r ddwy *y*; tywyll oedd y gyntaf ddiacen a chlir oedd yr ail acennog. Felly y mae o hyd mewn gair fel *ystryd*. Wedi i'r ddwy sain hyn ymsefydlu'n sicr, symudwyd lle'r acen yn y Gymraeg eto i fod ar y goben, ac felly cawn *ŷsbryd*, gyda'r sain dywyll yn awr yn acennog a'r glir yn ddiacen. Yn awr, mae gair fel *yr* neu *dy* bob amser yn ddiacen, ac *y* dywyll sydd iddynt. Ond mae enwau fel *dyn* a *llyn* yn eiriau acennog, ac *y* glir sydd ynddynt hwy, am eu bod yn acennog. Rhaid mai honno oedd y rheol rywdro—*y* glir acennog ac *y* dywyll ddiacen. Eithr nid hynny a geir heddiw mewn geiriau fel *ynyd* (o'r Lladin *initium*) a *mynydd*. Dengys hyn oll inni fod yr acen wedi symud yn Gymraeg rywbryd yn ddiweddar yn ystod yr hen gyfnod o'r sillaf olaf i'r goben. Dyna pam yr acennir yn awr mewn geiriau fel *ystrad*, *ysgrubl*, ac *ysbryd* sillafau y gwyddom nad oeddynt yn bod yn gynnar yn yr hen gyfnod. Yr oedd i newid lle'r acen ganlyniad arall. Rhoes *trīnĭtātem*, yn ôl yr hyn a ddywedwyd, y ffurf *trindáwd* a'r acen ar y sillaf olaf. Yna symudwyd yr acen i'r goben *tríndawd*. Yr oedd y ddipton *aw* bellach yn ddiacen, a'r diwedd fu ei gwanhau i *o*. Hynny yn y lle cyntaf a gyfrif am bâr fel *awr oriau*. Rhaid i'r acen fod ar *awr*—nid oedd le arall i'w rhoi,—a pharhaodd y ddipton byth. Diffyg acen arni yn *awriáu*, os bu erioed air yn cyfateb i hynny yn yr hen gyfnod neu'r cyfnod cynnar, a roes *oriáu*. Yna erbyn symud yr acen yn ôl yr oedd yr *o* wedi sadio, a'r hen reol o gadw *aw* pan fyddai'n acennog wedi llwyr ddarfod gweithredu. Canys nid yw rheolau a deddfau iaith o angenrheidrwydd yn dragwyddol eu parhad. Gyda geiriau fel *trindawd*, *dywawd*, *iddaw*, *ceisiaw*, ffurfiau llenyddol a thraddodiadol ydynt fel y pellheir o ddiwedd yr hen gyfnod.

Cyn gadael yr hen gyfnod, dylid nodi bod rhai o'r nodweddion a grybwyllwyd i'w cael mewn llawysgrifau diweddarach. Effaith copïo manwl a slafaidd ydoedd hyn, ond pan welir hwy'n weddol aml rhoddant inni sail sicr i gredu bod y sawl a'u hysgrifennodd yn copïo gwaith sy'n mynd yn ôl i'r hen gyfnod. Mae *Dymet* am *Dyfed* mewn llawysgrif o hanner olaf y drydedd ganrif ar ddeg yn awgrymu'n gryf gopïo rhywbeth o'r hen gyfnod. Yr un modd pan gawn *genhym* (gennyf) a *catbritogyon* (cadfridogion) mewn llawysgrif o ddechrau'r bedwaredd ganrif ar ddeg. Eto teg casglu oddi wrth ffurfiau fel *scuyt* (ysgwyd " tarian "), *cinteiluuat* (cynheilwad " cynhaliwr "), *diu Mawrth* (dyw Mawrth " dydd M."), *biu* (byw), ac *oid* (oedd) mewn cerddi a ysgrifennwyd yng nghanol y drydedd ganrif ar ddeg fod yma gopïo rhywbeth a sgrifennwyd yn yr hen gyfnod o leiaf. Ond diflannodd y cynseiliau yn llwyr, ac nid oes gennym ond gofidio am y golled a gawsom. Canys mae'n ddiau bod llawer o'n llenyddiaeth fore wedi ei cholli am byth. Eithr cadwyd peth o'r farddoniaeth fore hon, gwaith y Cynfeirdd fel y gelwir hwynt, mewn ffurf wedi ei diweddaru, yn llawysgrifau'r cyfnod dilynol.

Y cyfnod nesaf yw'r cyfnod canol, sef o'r ddeuddegfed ganrif hyd y bymthegfed ganrif. Mae gennym yma lenyddiaeth weddol helaeth i'n helpu i ddilyn hanes yr iaith. Ond nid oes ofod i fanylu llawer iawn. Yn rhan gyntaf y cyfnod barddoniaeth yw'r ffos sydd gan hanesydd yr iaith i'w chloddio. Mae hynny mewn un ystyr yn anffawd fawr, canys dilynid y patrymau traddodiadol yn agos iawn gan feirdd y ddeuddegfed ganrif a'r ddwy ganrif ganlynol, sef y Gogynfeirdd. Yr oedd eu hiaith yn hynafol iawn ei gwisg, a phellter mawr rhyngddi hyd yn oed a'r rhyddiaith lenyddol, heb sôn am yr iaith lafar nad oes gennym ddim tystiolaeth uniongyrchol iddi. Mae'r orgraff yn help mawr inni i allu adnabod y cyfnod yr ysgrifennwyd rhywbeth. Er enghraifft yn y ddeuddegfed ganrif safai *t* yn weddol reolaidd am *dd*. Ceir digon o enghreifftiau yn Llyfr Du Caerfyrddin ; *kert* (cerdd), *rotir* (rhoddir), *rut* (rhudd), *diwet* (diwedd), i gyd yng ngwaith Cynddelw Brydydd Mawr oedd yn ei flodau yn hanner olaf y ddeuddegfed ganrif. Cawn *e* yn rhan gyntaf y cyfnod hwn yn aml iawn am *y*, ac yn wir fe bery i raddau ymlaen ymhell yn y cyfnod. Y mae'r hen *ai* ac *oi* yn awr yn troi'n *ay* ac *oy*, a hefyd yn *ae* ac *oe*. Daw *uy* ac *wy* i gymryd lle *ui*, ac wrth gwrs mae *y* wedi disodli'r hen *i*. Fel yr awn ymlaen yn y cyfnod canol cawn *d* yn dynodi *dd*, er bod *dd* ei hun ymhell o fod yn anhysbys. I arbed amwysedd, pan fyddai *d* am *dd* rhoid *t* ar ddiwedd gair (yn arbennig) i olygu *d*, megis *tat* am *tad*. Safai *g* am *ng*, a rhoid *c* ar ddiwedd gair pan ddiweddai yn y gytsain *g* ; megis *gwac* am *gwag*. Mae dynodi'r cyfnewidiadau cytseiniol yng nghanol gair yn bur gyffredin bellach, ond ni wneir hynny o bell ffordd ar ddechrau gair. Nid oes raid dweud nad oedd ysgrifennu fel hyn yn golygu na seinid y treigliad. Allanolion yr iaith yw'r pethau hyn oll, ac mae rhoi nodweddion iaith y cyfnod canol yn golygu llawer mwy nag adrodd y nodau damweiniol hyn, fel petai. Ond nid cynffon pennod a ddylid ei chael i drin y nodweddion hyn yn iawn, eithr cyfrol o leiaf. Dywedwyd eisoes fod iaith barddoniaeth y cyfnod yn hynafol. Yn wir mae'n ddigon tebyg bod llawer ohono'n iaith gwbl farw y pryd y cenid hi, ac weithiau tueddir dyn i amau a oedd y bardd ei hun yn ei deall. (Efallai nad yn y cyfnod hwnnw yn unig y mae hynny'n wir, ych-waith). Iaith gelfyddydol ydoedd, a pha beth bynnag a ddywedir am y Gogynfeirdd a'i harferai, ni all neb lai nag edmygu'r mawredd gerwin a berthyn i lawer ohoni, a mawr hoffi'r aml fân ddarnau yn y cerddi hyn lle y gallodd yr artisiaid mawr hyn roi inni ar brydiau lyfnder gerwindra caboledig, os gellir ei enwi felly. Mae rhyddiaith y cyfnod yn hollol wahanol, canys yr oedd ei hamcan yn wahanol. Ynddi hi meistrolaeth ar yr iaith fyw a welir, ond yr iaith fyw yn ei hurddas pendefigaidd. Mae llawer o'i ffurfiant yn hen, wrth gwrs, yn arbennig yn y darnau hynaf. Ond ni welir yn unman ynddi ddim cyntefigrwydd. Mae'n wir bod rhai o gyfieithiadau'r cyfnod yn bur glogyrnog, ac nid diffyg meistrolaeth ar y Gymraeg a barai hynny bob amser yn gymaint ag an-wybodaeth o'r iaith y cyfieithid ohoni. Yn wir yn yr ychydig frawddegau cyfain a gadwyd i ni o'r ddau gyfnod cyntaf gwelir eisoes yr addewid sicr hynny o lyfnder ymadrodd sydd i flodeuo'n helaeth iawn yn ddiweddar-ach drwy'r cyfreithiau Cymraeg a'r Mabinogi ymlaen i Gymraeg gorchestol rhai o'r rhamantau diweddaraf. Fel y symudir ymlaen o ganrif i ganrif yn ein rhyddiaith gwelwn golli llawer o hen ffurfiau, a chystrawen newydd yn cymryd lle'r hen. Mae'r eirfa hefyd yn ymgyfoeth-ogi drwy dderbyn geiriau estron. Dyma gyfnod y ben-thyca Ffrangeg, pa lwybr bynnag a gymerodd y rheini i'r iaith. Cymreigiwyd llawer o eiriau Lladin gan gyfieithwyr y cyfnod. Eto mae'r ferf yn llawer cyfoeth-ocach ei ffurfiau yn y cyfnod hwn nag yn y cyfnod diweddar, ac mae'r un peth yn wir am ffurfiau personol yr arddodiaid. Noder un peth yn unig ynlgŷn â'r ferf, sef mai -*wys* yw terfyniad mwyaf cyffredin trydydd person unigol yr amser gorffennol.

Ond rhaid inni frysio at y cyfnod diweddar, ac yn wir

frysio drwyddo. Nid hawdd iawn pennu'r amser y dechreuodd, yn arbennig mewn rhyddiaith, gan fod honno wedi datblygu'n araf a thawel a sicr ymlaen hyd ddiwedd yr unfed ganrif ar bymtheg. Mae'r stori'n wahanol gyda barddoniaeth, canys newidiodd ei hiaith hi'n weddol sydyn yn y bedwaredd ganrif ar ddeg. Daeth canu mewn iaith debycach i ryddiaith y cyfnod i fri gyda Dafydd ap Gwilym. Gwyddai Dafydd fel ei gydoeswyr yr hen iaith farddonol draddodiadol, a chanodd ynddi'n feistraidd hefyd. Ond ei gywydd yn yr iaith fyw a gafodd yr afael sicraf ar ei gydoeswyr, ac yn arbennig ar ei ddilynwyr. Felly mae'n haws rhannu rhwng y ddau gyfnod mewn barddoniaeth nag mewn rhyddiaith. Bu i'r iaith farddonol y rhoes Dafydd ap Gwilym safon newydd iddi bwysigrwydd anarferol yn natblygiad yr iaith yn y cyfnod diweddar, canys troes yn amddiffynfa gadarn i'r iaith pan ddaeth adfyd drosti o du gwleidyddiaeth. Yr oedd bywyd yn mynd yn bur derfysglyd yng Nghymru yn y bymthegfed ganrif, gyda'r rhyfela parhaus a oedd yn y wlad ac allan ohoni. Erbyn diwedd y ganrif gwelodd Cymru mai ofer a gau fu ei breuddwydion gwleidyddol pan goncrai'r ddraig goch y ddraig wen. Yn yr unfed ganrif ar bymtheg collodd yr iaith gan mwyaf y nawdd a gawsai erioed gan ei phendefigion ei hun. Aeth ei charedigion i ofni ei bod ar dranc, ac yn wir mae olion llawer o wendid yn ei chyfansoddiad fel y gwelir ef yn llawer o'r rhyddiaith a ysgrifennwyd yn y cyfnod hwn. Yr oedd safon cywirdeb yn gwegian, a'r unoliaeth a welir mor amlwg yn y cyfnod canol yn dechrau rhwygo. Yn y ganrif hon gellir dweud gyda sicrwydd go bendant i ba ran o'r wlad y perthynai awdur rhyw waith gan fod ei iaith yn frith o ffurfiau a dulliau lleol. Ni olyga hynny ei bod bob amser yn brin o brydferthwch ac urddas, ond pe cawsai pawb o bob cwr fynd i'w ffordd ei hun darfuasai am yr un iaith lenyddol a fyddai'n offeryn i genedl gyfan. Achubwyd y Gymraeg rhag mynd yn sicr i'w thranc gan gyfieithiad y Beibl yn 1588. Heb i ni fanylu ar a draethwyd yn well o lawer gan eraill, digon fydd dweud i iaith y cywyddau gael ei chymryd yn safon i iaith yr Ysgrythur. O hyn ymlaen daw'r pulpud i ofalu am y safon, ac i adennill yr unoliaeth urddasol y bu mor agos i'r iaith ei cholli. Aberthwyd llawer er mwyn yr unoliaeth newydd hon, fel y gwelir wrth gymharu rhyddiaith dechrau'r bymthegfed ganrif, dyweder, â'r rhyddiaith wych a geir yn yr ail ganrif ar bymtheg. Bu llawer iawn o wastatáu ar ffurfiau, yn arbennig y ferf a'r arddodiad. Bellach ni cheir cymaint o amrywiaeth ynglŷn â'r treigliadau. Mae'r eirfa eisoes wedi cynyddu oherwydd y cysylltiad agos a chymhleth rhwng Cymru a Lloegr o'r bymthegfed ganrif hyd yn awr. Rhoed cartref Cymreig i lu o eiriau Saesneg yn ein llenyddiaeth. Ond efallai na chafodd y Gymraeg gymaint o berygl ac o niwed felly ag a gafodd ar law rhai o'i charedigion. Ceisiodd William Salesbury roi urddas newydd iddi drwy estroneiddio'i gwisg yn ôl ffasiynau ei oes, ond methodd. Cofir yn dda i William Owen Pughe hefyd geisio'i phuro a'i chywiro yn ôl ffasiynau ieithyddol ei ddydd yntau. Cafodd Pughe fwy o ddilynwyr na Salesbury, ysywaeth, a dioddefodd yr iaith yn fawr o'u plegid am y rhan orau o ganrif. Cymwynaswyr oeddynt oll, yn ôl y goleuni a rodded iddynt. Erbyn heddiw mae gennym fwy o oleuni lawer nag a roed iddynt hwy, ac iddynt hwy i raddau yr ydym yn ddyledus am beth o'r goleuni hwnnw. Gallwn fwrw golwg ehangach lawer ar yr iaith nag oedd yn bosibl iddynt hwy. Yng ngwaith y Gogynfeirdd y bu Pughe yn cloddio, a cheisio ailgreu'r Gymraeg o'r defnyddiau a gafodd yno, ond nas cwbl ddeallodd, yn unol â dancaniaethau ieithyddol ei oes a wnaeth. Mae holl yrfa wych yr iaith yn y gorffennol at ein llaw ni. Gwelwn mai tyfu a wnaeth o oes i oes, am fod bywyd ynddi. Gwyliwn ninnau rhag gadael i'w gorffennol gwych ladd ei dyfodol.

CYSTRAWEN

MAE un rhan o astudiaeth iaith nad ŷm ni ddim wedi sôn amdani drwy'r llyfr hwn, er mai honno mewn un ystyr yw'r agwedd bwysicaf ar iaith. A geiriau y bu a wnelom drwy'r penodau blaenorol, er inni unwaith neu ddwy sylwi ar eiriau a gysylltid yn agos â'i gilydd megis enw ac ansoddair. Ond nid yw gwybod geiriau iaith yn gyfystyr â gwybod yr iaith, heb inni hefyd wybod sut i blethu'r geiriau hyn ynghyd, yn ôl dulliau a moddau'r iaith honno, er mwyn mynegi yr hyn y bo arnom eisiau ei ddweud. Yr enw a roir ar yr adran hon yw cystrawen. Nid oes angen dweud pa mor amhosibl fydd inni roi chware teg i'r agwedd hon ar yr iaith mewn pennod y bydd yn rhaid iddi fod yn fyr. Hyd yn oed petawn yn fy nghyfyngu fy hun i gystrawen yr iaith fel y mae heddiw, byddai'r gofod yn llawer rhy brin, oherwydd cymhlethdod y broblem. Ond pwnc y llyfr hwn yw datblygiad yr iaith, ac felly datblygiad cystrawen y dylid sôn amdano pe gellid. Yn awr, golyga disgrifio ac egluro cystrawen ddangos, er enghraifft, pa fodd y cysylltir ansoddair ag enw, sut y defnyddir adferf gyda berf, pa beth a ellir ei roi yn lle ansoddair moel gydag enw neu beth a all weithredu fel adferf mewn brawddeg. Rhaid hefyd fyddai esbonio sut y byddir yn mynegi mewn ymadrodd llawn ryw syniad neu olygiad y bydd yn rhaid ei gael cyn bod ystyr yr ymadrodd hwnnw wedi ei lwyr gyfleu. Er enghraifft gall ein bod am ddweud bod rhywbeth yn digwydd yr un pryd â rhywbeth arall neu o'i blegid, a hynny yn y fath fodd ag i beri i rywbeth hollol wahanol fod. Prif fater ein hymadrodd fydd y rhywbeth sy'n digwydd, a rhaid i ni wybod dull yr iaith o fynegi hynny, ac ar yr un pryd ei dull o gysylltu â'r prif fynegiant hwn yr iawn ddull o fynegi'r gwahanol syniadau neu ffeithiau sydd ynglŷn ag ef. Wrth gwrs mae pawb sy'n medru Cymraeg o'r

bôn, fel petai, yn arfer y gwahanol ddulliau hyn heb
wybod iddynt eu hunain. Ond prin y gall neb ohonom
gael llawn flas unrhyw ddarn o ymadrodd, boed ar lafar,
boed ar lyfr, heb inni allu deall pa fodd y gosodir yr
adeiladwaith cywrain hwn ynghyd. Mewn geiriau
eraill, mae deall cystrawen iaith yn gymorth enfawr i ni
i allu cael y budd llawnaf o'r hyn a ddarllenwn yn ein
llenyddiaeth, heblaw na allwn ein hunain drafod yr
iaith yn y modd medrusaf heb ei deall. Wrth gwrs,
perthyn i iaith beth arall eto sy'n uwch ao yn werthfawr-
ocach efallai na chystrawen, a hynny yw'r peth trwyadl
bersonol hwnnw a elwir yn arddull. Ond y mae trafod
arddull y tu allan i gylch amcan y llyfr hwn, ac felly
rhaid ei gadael yn llonydd.

Y peth gorau i ni ei wneud yn awr, efallai, fydd
cymryd rhyw ddau neu dri o bethau mewn cystrawen, a
cheisio gweld beth a ellir ei gasglu am eu datblygiad
hwy yn hanes yr iaith. Yn gyntaf cymerwn bwnc ffurf
y frawddeg Gymraeg. Dywedir am y frawddeg seml
yn Gymraeg fod y ferf yn dod gyntaf, yna'r goddrych—
y person neu'r peth y sonnir amdano, yna'r gwrthrych,
ac yna ryw ychwanegiad adferfol. Weithiau bydd
hynny'n eithaf gwir—ond yr wyf eisoes wedi sgrifennu
brawddeg nad yw'n cytuno â'r rheol. Canys sylwer
bod yr adferf *weithiau* yn dod o flaen y ferf *bydd*. Wrth
gwrs fe allwn gadw'r rheol drwy sgrifennu *Bydd hynny'n
eithaf gwir weithiau*, ond nid yw'r ffurf olaf hon ddim
cywirach na'r llall. Neu cymerwch frawddeg fel hon.
O'r diwedd difeddiannant y gŵr o'i hawl. Yma eto cawn
adferf o flaen y ferf, canys mae i *o'r diwedd* yr un grym
ag adferf. Mae'n ddiau bod miloedd o enghreifftiau
o frawddeg fel hyn yn Gymraeg. Yn wir fe'i cawn yn
y darn hwnnw y dywedwyd amdano yn y bennod flaen-
orol mai copi ydyw o weithred y tystiodd Teilo iddi yn y
chweched ganrif : *ho diued diprotant gener tutri o guir,* " o
ddiwedd dibrodant (efallai *difrodant,* ei ystyr yw " di-
feddiannant ") *gener* (y gair Lladin am fab yng nghyf-
raith) Tudri o wir (neu " hawl ")." Yn wyneb hyn,

rhaid inni lunio'n rheol o newydd, canys dyna yw rheol wedi'r cwbl, y peth a gesglir o sylwi ar gannoedd a miloedd o enghreifftiau mewn iaith. Y ffordd gysonaf â'r ffeithiau felly fydd dweud bod safle berf a goddrych a gwrthrych y frawddeg seml yn Gymraeg, yn eu perthynas â'i gilydd, fel hyn—y ferf gyntaf, y goddrych yn ail, a'r gwrthrych yn drydydd. Mae safle adferf, neu'r hyn a wna waith adferf, yn symudol.

Pan drown yn ôl at lenyddiaeth yr oesau canol cawn nad oedd y rheol hon yn dal bob amser. Gwelir yno nifer mawr iawn o enghreifftiau lle y daw'r goddrych gyntaf, y ferf wedyn, ac yna'r gwrthrych. Wrth gwrs fe ddigwydd brawddegau sy'n gwbl gyson â'r rheol a osodwyd i lawr uchod, ond nid yn ôl y rheol honno yn unig y gellid llunio brawddeg gywir. Nid oes dim achos syndod bod y goddrych yn dod o flaen y ferf, canys mae holl ieithoedd y tylwyth Indo-Ewropeg yn frith o'r cyfryw frawddegau. Gan fod yr iaith Gymraeg yn perthyn i'r tylwyth hwnnw nid yw'n annaturiol iddi hithau gael brawddegau o'r dull hwn. Fe'u ceir yn yr Hen Wyddeleg hefyd. Eto nid yw brawddeg â'r ferf yn air cyntaf ynddi yn ddieithr beth yn llawer o ieithoedd y tylwyth Indo-Ewropeg. Arbenigrwydd y Gymraeg ydyw ei bod hi wedi tueddu i ddewis y dull o roi'r ferf ynghyntaf ar draul ymwrthod â dulliau eraill. Cwestiwn dyrys yw ceisio esbonio pam y gwnaeth hyn, ac nid ymgymerwn â'i drafod. Peth arall sy'n rhyfedd yn y frawddeg seml Gymraeg yw bod y ferf, pan fydd hi gyntaf, bob amser yn y trydydd person unigol ond pan fo rhagenw personol yn oddrych iddi. Felly canwn *Daw miloedd ar ddarfod amdanynt, daw* yn unigol er bod ei goddrych *miloedd* yn lluosog. Ond datblygiad cymharol ddiweddar yn hanes yr iaith yw'r arbenigrwydd hwn. Yn ein llenyddiaeth o'r oesau canol cawn enghreifftiau o'r ferf yn lluosog o flaen ei goddrych lluosog. Yn wir digwydd un yn yr hen weithred honno sy'n mynd yn ôl i'r chweched ganrif. Dyma un yn ei ffurf gysefin— *imguodant ir degion* " ymwoddant y deon." Hen ffurf

luosog ar *da* yw *deon*, a'i ystyr wrth gwrs yw " gwyrda."
Gair marw yw *ymwoddant*, ond ei ystyr yw " erfyniant,
crefant, ymbiliant ar ei gilydd," a'r *ym-* yn rhoi'r ystyr
gilyddol iddo. Felly gallem aralleirio'r frawddeg fel
hyn—*crefant y gwyrda ar ei gilydd*. Erbyn heddiw, ac
ers canrifoedd yn wir, mae'r frawddeg yn anghywir, am
fod yr iaith yn ei datblygiad wedi ymwrthod â'r hen
gystrawen hon, megis yr ymwrthododd â'r hen ffurfiau
deon ac *ymwoddant*.

Fe geisiodd Pughe adfer yr hen reolau hyn i'r iaith, a
gallasai gael cyflawnder o hen enghreifftiau i ddangos eu
bod felly gynt yn ein llenyddiaeth. Anghofiodd fod yr
iaith wedi tyfu allan o'r hen wisg. Fe geir nid dyrnaid
ond nifer mawr o frawddegau lle daw'r goddrych gyntaf,
a'r ferf yn union ar ei hôl heb ddim rhyngddynt, megis
gwaed gwŷr goferai (a'i rhoi yn orgraff heddiw), lle y
dywedem yn awr *goferai* (h.y. diferai) *gwaed gwŷr*. Pan
fyddai'r goddrych yn lluosog byddai'r ferf hefyd, megis
caith cwynynt lle y dywedem ni *cwynai caethion*. Felly
hefyd pan ddeuai'r ferf gyntaf, megis *cwyddyn gyfoedion
yng nghad* " cwyddai (cwympai) cyfoedion yng nghad."
Mewn brawddegau fel yr olaf treiglai cytsain flaen y
goddrych yn feddal, fel yn *cenynt gerddorion* " canai
cerddorion ". Ceir rheol gyffelyb yn yr Hen Wyddeleg
(ond taw treigliad llaes wrth gwrs sydd yno.) Cofier
mai ym marddoniaeth yr hen gyfnod a rhan gyntaf y
cyfnod canol y ceir lliaws o'r enghreifftiau hyn. Cystal
yw hynny â dweud mai'r ceidwadwyr ieithyddol mawr
sy'n rhoi'r enghreifftiau inni, mewn gwaith nad oedd yn
gyfieithiad. Hen gystrawennau wedi eu cadw yn gyn-
dyn hyd y diwedd ydynt, ac fe'u ceir hyd yn oed yn
rhyddiaith yr oesau canol lle na allant fod yn gyfieith-
iadau. Yn wir credaf ein bod ni hyd heddiw yn cadw
un ohonynt ar lafar yn ddiarwybod inni.

Ysgrifennais ar ddechrau'r drafodaeth hon y frawddeg
Weithiau bydd hynny'n eithaf gwir. Fe'i hailysgrifennaf
hi'n awr fel hyn—*Weithiau y bydd hynny'n eithaf gwir*.
Gwelwch i mi roi *y* ynddi ar ôl *weithiau*, a gwnaeth yr *y*

hon fyd o wahaniaeth i'r frawddeg. Ni ellir dangos y
byd hwnnw i gyd mewn print, gan na all print, hyd yn
hyn beth bynnag, gyfleu y pwyslais a roddaf i'r llais yn
yr ail frawddeg yn wahanol i'r gyntaf. Nid yr un ystyr
yn hollol sydd i'r ddwy frawddeg. Yn y gyntaf yr wyf
fel petawn yn rhyw gyfaddef bod y peth yn wir, ond yr
wyf yn dal yn ddigon tawel ac araf. Eithr yn yr ail
dechreuaf boethi tipyn a rhyw daeru. Nid gosodiad
cyffredinol yn awr, ond cyfyngu'n bendant ar gywirdeb
y gosodiad, sef na bydd yn wir ond weithiau'n unig.
Mae cysylltiad clwm iawn rhwng yr adferf *weithiau* a'r
ferf *bydd*, 'ac yr wyf am roi pwyslais arbennig ar yr adferf.
Dyma elfen nad oedd angen amdani yn y brawddegau
y buom yn eu trafod hyd yn hyn, sef bod pwyslais neill-
tuol i'w roi ar ryw ran arbennig o ymadrodd. Yn yr
ieithoedd Celtaidd ceir ffurf bwrpasol ar gyfer brawddeg
felly. Fe'i gwelir yn eglurach yn yr Hen Wyddeleg.
Dyma hi, cymryd y gair sydd i'w bwysleisio a'i roi ar ôl
trydydd person unigol amser cyfaddas (presennol, am-
amherffaith, etc.,) y ferf *bod*. Ar ôl hynny rhoir gweddill
yr ymadrodd gyda'r ferf gyntaf. Ni roir cysylltair
rhwng y rhan gyntaf bwysleisiedig a gweddill yr ymad-
rodd, ag eithrio bod ffurf berthynol ar y ferf sy'n dechrau
gweddill yr ymadrodd, os bydd yr enw a bwysleisir
megis goddrych neu wrthrych y ferf honno. I gael
bod yn glir dylid dweud bod ffurfiau ar y ferf Hen
Wyddeleg mewn rhai personau a ddefnyddir yn unig
mewn brawddeg berthynol pan fo'r rhagenw perthynol
yn oddrych. Hynny yw, nid yr un ffurf sydd yn yr
Hen Wyddeleg am *he carries* a (*he*) *who carries*. Yn awr,
pan ddywedaf *Cwympodd afal*, ni roddaf bwyslais o
angenrheidrwydd, er y gallaf roi pwyslais ar *cwympodd*.
Ond bwrier fy mod am bwysleisio bod afal wedi cwympo,
dyma ddull yr Hen Wyddeleg. Yng nghyntaf trydydd
person unigol gorffennol *bod*, yna *afal*, yna brawddeg yn
dechrau a'r ferf *cwympodd* yn ei ffurf berthynol—yn wir
cwympodd *yw'r* frawddeg yn yr enghraifft hon. Y peth

a wnawn yn Gymraeg yw rhoi *afal* gyntaf ac wedyn brawddeg berthynol yn dechrau ag *a—afal a gwympodd*. Gwneid yr un peth gyda brawddeg fel *Torrais afal—sef Afal a dorrais*. Ond cymerer brawddeg fel *Cwympodd afal o'r fasged*, lle mae *o'r fasged* yn unrym ag adferf, a bwrier mai'r adferf hon yw'r peth yr wyf am alw sylw arbennig ato. Yn yr Hen Wyddeleg fe roid ffurf bwrpasol *bod* eto, yna *o'r fasged* ac yna *cwympodd afal* heb ddim teclyn gramadegol i'w cysylltu â'r rhan flaenaf. Yn Gymraeg ar y llaw arall ni cheir ffurf *bod* o gwbl, ond cysylltir y rhan gyntaf â'r ferf a gweddill yr ymadrodd â'r geiryn *y* (*yr* pan fydd y ferf yn dechrau â llafariad neu *h*). Felly dywedem *O'r fasged y cwympodd afal*. Mae hyn oll yn ddiau yn ddigon hysbys ac eglur i bawb.

Mae'r brawddegau o'r natur hyn yn gyffredin drwy'n llenyddiaeth. Ond yr hyn sy'n ddiddorol yw bod olion ffurf gyffelyb i'r Hen Wyddeleg i'w cael yn Gymraeg hefyd. Yn stori Culwch ac Olwen adroddir bod Culwch yn dadlau â phorthor Arthur am gael mynd i mewn i'r llys. Gwrthodai'r porthor am nad oedd yn amser cyfaddas. Ond i gadw'r llanc yn dawel mae'n cynnig llawer o bethau iddo ac yn addo iddo fore trannoeth, pan fyddai'n agor y porth i ymwelwyr, y câi ef fynd i mewn gyntaf. Dyma eiriau'r copi a sgrifennwyd rywle tua 1300 : *bydhawt ragot ti gyntaf yd agorawr y porth* ("byddawd rhagot ti gyntaf ydd agorawr y porth".) Hen ffurf ddyfodol am *agorir* yw *agorawr*, ac felly *byddawd* am *bydd*. Felly rhown hyn yn ein ffurfiau ni heddiw— *Bydd rhagot ti gyntaf yr agorir y porth*. Ond nid felly y dywedem yn naturiol, eithr *Rhagot ti gyntaf yr agorir y porth*. Mae enghreifftiau fel hyn yn dangos inni fod y Gymraeg a'r Wyddeleg wedi dewis yr un gystrawen i fynegi'r ystyr arbennig hon i osodiad. Gallwn fynd â'r tebygrwydd yn nes, oblegid yn yr hen ddarn ar seryddiaeth y soniwyd amdano eisoes ceir brawddeg gyffelyb i'r rhain heb ddim cysylltair rhwng y rhan gyntaf a'r gweddill. Efallai y byddai'n ddiddorol ei rhoi. *Is gurth ir serenn hai bid in eircimeir O retit loyr ir did hinnuith.* " Ys gwrth (yn erbyn) y seren a fydd yn eirgyfair (ar gyfer) O rhedid (rhed) lloer y dydd hynnwyth (hwnnw)." Heddiw dywedem " *Yn erbyn y seren . . . y rhed y lloer.*" Hynny yw, pan fyddai'r berthynas rhwng y rhan a bwysleisid a gweddill y frawddeg yn adferfol, ni cheid, weithiau beth bynnag, ddim teclyn gramadegol yn Hen Gymraeg i gysylltu'r ddwy ran. Yn hyn o beth eto cytunai'r Gymraeg â'r Wyddeleg. Yn ddiweddarach daethpwyd i ddefnyddio'r geiryn *yd* neu *ydd* neu *y*, erbyn hyn *yr* neu *y* i'w cysylltu. Ym mhob perthynas arall yn Gymraeg, cysylltir y ddwy ran ag *a*, sef y rhagenw perthynol. Yn yr Wyddeleg ffurf berthynol y ferf a geid. Os goddrych y frawddeg seml y mynnid ei bwysleisio, ac os byddai hwnnw'n lluosog, byddai'r ferf a'i dilynai yn y rhif lluosog hefyd yn yr Hen Wyddeleg. Ceir enghreifftiau lawer o'r un peth yn Gymraeg hefyd, ond yn hyn y mae'r iaith lafar bellach wedi newid, a rhoir y ferf bob amser yn y trydydd person unigol. Eithr nid felly y bu erioed, a hynny ym marddoniaeth y Gogynfeirdd lle nad oeddid yn cyfieithu.

Felly byddai'n bosibl yn Gymraeg gynt inni gael tair brawddeg fel hyn : (1) *Gwŷr cyrchasant,* (2) *Cyrchasant wŷr,* (3) *Gwŷr a gyrchasant.* Y dull cyffredin llafar byw yn awr o fynegi y ddwy gyntaf yw *Cyrchodd gwŷr,* a'r drydedd *Gwŷr a gyrchodd* (gyda phwyslais ar *gwŷr*). I hynny y datblygodd yr iaith lafar, sef yr ystad ddiweddaraf oll a mwyaf newydd ar yr iaith. Ond yr oedd yr iaith lenyddol yn arafach. Gallwn ddeall i (2) uchod fynd o arfer yn hawdd, canys yr oedd amwysedd yn y frawddeg. Ond ni lwyr ddiflannodd y gystrawen hon yn rhyddiaith wreiddiol y canol oesoedd. Gallai olygu bod rhywrai wedi cyrchu gwŷr yn ogystal â bod gwŷr wedi cyrchu. Ar y llaw arall, onid hawdd fyddai i (3) effeithio ar (1), a pheri arfer *Gwŷr a gyrchasant* pan na olygai ond *Cyrchodd gwŷr* ? Byddai hynny'n haws fyth fel y cynyddai'r arfer o newid ffurf (3) i *Gwŷr a gyrchodd.* Mae'r anghytundeb rhif yn yr olaf yn help i selio'r pwyslais yn ei le priodol. Yn (3) uchod, yn ogystal ag

yn y ffurf olaf hon, mae'r *a* yn rhan ymadrodd annibyn-
nol y mae'n rhaid wrtho—rhagenw perthynol ydyw sy'n
hanfodol i ystyr arbennig y frawddeg. Ond yn y ffurf
newydd ar (1), sef *Gwŷr a gyrchasant*, nid oedd ystyr i'r *a*,
mwy nag sydd i'r botymau ar lewys cot dyn yn y dyddiau
hyn. Addurn ydyw a lusgwyd i mewn i (1) drwy gyd-
weddiad. Fe'i ceir yn frith drwy'n llenyddiaeth, yn ein
barddoniaeth geidwadol draddodiadol, ym marddon-
iaeth newydd rhan olaf y cyfnod canol ; sef y cywydd-
au, ac yn y Mabinogi—mewn lleoedd lle na all fod yn
effaith cyfieithu o ieithoedd eraill. Wrth gwrs digwydd
yn helaeth yn y cyfieithiadau, ond y cwbl a ellir yn deg
ei ddweud ar y pen hwn yw bod y cyfieithiadau efallai
wedi estyn einioes y gystrawen hyd ein dydd ni yn yr
iaith lyfr. Yr un modd gellir dweud bod (3) *Gŵr a
gyrchodd* (gyda phwyslais ar *gŵr*) wedi effeithio ar (1)
Gŵr cyrchodd, a olygai'n syml *Cyrchodd gŵr*. Trwy
gydweddiad â ffurf y drydedd frawddeg rhoed *a* i mewn
yn (1) heb amharu dim ar ei hystyr. Nid oes i'r *a* hon
ystyr o gwbl yn y ffurf newydd ar (1), sef *Gŵr a gyrchodd*
(" Cyrchodd gŵr "). Ffurf lenyddol addurniadol ydyw,
a thyst huawdl i bwysigrwydd cydweddiad mewn iaith
ac i geidwadaeth yr iaith safonol lenyddol. Pan
ddywedai'r hen gyfarwydd *Pwyll Pendefig Dyfed a oedd
arglwydd ar saith gantref Dyfed*, adrodd yr oedd yn ei iaith
barch yr un peth ag a feddyliwn ni heddiw pan ddywed-
wn *Yr oedd Pwyll Pendefig Dyfed yn arglwydd ar saith gantref
Dyfed*.

Awgrymais fod un hen gystrawen wedi ei chadw'n
ddiarwybod i ni ar lafar hyd heddiw. Hyn sydd yn fy
meddwl. Dyma fi'n cerdded yn hamddenol drwy'r
pentref, a phopeth o gwmpas yn dawel, ag eithrio sŵn
hapus twr o blant yn chware. Yn sydyn dyma weiddi ac
ysgrechain oernadus dros y lle, a chrwt yn rhedeg i
gyfeiriad ei gartref a golwg helbulus arno. Dyna
finnau'n gofyn i un o'r plant beth sy'n bod ar y crwt.
Yr ateb a gaf yw " Twm Jones rows ergyd iddo fe."
Nid oes yma angen am hoelio'r bai ar Twm Jones o

gwbl. Yn wir yr ateb yn ôl rheol gaeth y gramadegau fyddai *Cas ergyd gan Twm Jones*. Ond rhoer yr ateb llafar mewn iaith lenyddol barchus, a chawn *Thomas Jones a roddes ergyd iddo ef*. Ni welaf fod un gwahaniaeth rhwng cystrawen hon a chystrawen y frawddeg gyntaf yn y Mabinogi. Yr wyf yr un mor sicr taw ei hystyr yw *Rhoddes Thomas Jones ergyd iddo ef*, o droi'r frawddeg i gytuno'n fanwl â rheol y gramadegydd. Pa fodd bynnag, yn ei ffurf wreiddiol mae mewn cwmni urddasol, canys digwydd cannoedd o enghreifftiau cyffelyb yn y gweithiau mwyaf safonol, os caf ddefnyddio'r fath ymadrodd, a feddwn yn ein llenyddiaeth.

Efallai y dylwn roi un rhybudd y mae mawr angen amdano ar hyn o bryd. Er imi ddweud uchod bod brawddeg fel *caith cwynynt*, neu *crefant y gwyrda ar ei gilydd* wedi bod yn gywir a rheolaidd un tro, na ruthred neb i sgrifennu felly heddiw, canys newidiodd y ffasiwn neu'r rheol. Mae rhyw enynfa ar rai pobl heddiw i fynd yn ôl at ddulliau marw, yn union fel petai'r iaith wedi darfod amdani. Dyna bobl y *math ar* er enghraifft. Mae *math ar* yn hŷn na *math o*, ond newyddian yw *math* yn ymyl yr hen ffurf " gywir " *bath*. Felly dylai'r " matharwyr " yma bregethu o blaid *bath ar*. O gymryd ffurf farw, ni waeth gydio'n y farwaf! Ac atolwg, faint o amser sy'n angenrheidiol i roi trwydded i gystrawen neu briod-ddull ? Mae *math o* yn ein llenyddiaeth er 1595, a chawn Morgan Llwyd yn ei ddefnyddio yn 1653. Rhaid ei fod ar lafar yn hir cyn hynny. Erbyn heddiw prin y mae *math ar* yn fyw o gwbl ar lafar naturiol, ac yr oedd wedi hen farw yn llenyddol cyn y cyfnod presennol. Yr oedd y llefarwyr gyntaf, ac yna'r ysgrifenwyr wedi ei wrthod, a chymryd ffurf arall haws ei deall yn ei le. Dywedwyd o'r blaen fod gallu deall a chydddeall yn un o'r amodau pwysicaf i fywyd iaith.

Wedyn, dyna'r ysfa i geisio defnyddio hen gystrawen farw *methu*. Hyd ryw ugain mlynedd yn ôl buwyd am ryw gan mlynedd, efallai, yn dweud ac yn sgrifennu, er enghraifft, *Methodd fynd*. Ond tua chan mlynedd yn ôl cawn yr un gŵr yn sgrifennu *Methodd fynd* a *Methodd ganddynt lwyddo*. Po bellaf yn ôl yr awr, yr ail ffurf sy'n digwydd. Felly gallwn ddisgrifio hen gystrawen *methu* fel hyn ; ni allai *dyn* fethu, ond gallai *peth* fethu *gan ddyn*. Ystyr amhersonol oedd i *methu*, berf gyflawn ydoedd. Y *peth* oedd ei goddrych, a dynodir y person drwy ei roi dan reolaeth yr arddodiad *gan*. Felly dywedid *Metha gennyf fynd*, am mai'r *mynd* sy'n methu, ac nid *myfi* ; nid *Yr wyf fi'n methu mynd*, ond *Y mae mynd yn methu gennyf fi*. I'r ymwybyddiaeth gyffredin daeth peth fel hyn braidd yn anodd ei amgyffred. A siarad yn rhesymol neu'n rhesymegol, rhyw anallu ar fy rhan i a ddynodir yn y frawddeg hon, eithr mynegir. hynny'n ramadegol drwy ddweud mai rhyw ball sydd ar y *mynd* yn ei berthynas â mi. Hynny yw, mae'r goddrych naturiol rhesymegol yn wahanol i'r goddrych gramadegol. Pan fydd rheswm a gramadeg yn ymgodymu yn y meddwl cyffredinol, nid anodd dyfalu pwy sy'n mynd i ennill y dydd. Yn y priod-ddull dan sylw aeth y farn gyhoeddus, fel petai, o blaid y synnwyr. Felly am na ellid yn rhwydd amgyffred *Metha gennyf fynd* aethpwyd i ddweud *Methaf fynd*. Tua chan mlynedd yn ôl, fel y dywedwyd uchod, ceid y ddau briod-ddull gyda'i gilydd. Erbyn dechrau'r ganrif bresennol yr oedd y dull newydd wedi cario'r dydd yn hollol. Ni allwn heddiw feddwl am gyhoeddwr yn cyhoeddi *Bydd cwrdd gweddi yma ddydd Sul nesaf am fod yn methu gan y pregethwr ddod*. Ond fel hyn y *dylai'r* rhai sy byth a hefyd yn mynnu sgrifennu pethau'r am-gueddfa fel *Metha gennyf weled* gyhoeddi. Eithr priod-ddull *marw* yw *metha gan* ; mae ei ddefnyddioldeb a'i fuddioldeb wedi darfod yn yr iaith fyw. Gellir ei arfer yn addurn weithiau, yn arbennig os bydd ar ddyn eisiau dangos ei fod yn sgolor. Hynny a wneuthum i fy hun rai blynyddoedd yn ôl, a chefais brawf yn ddiweddar o wrthuni'r peth, pan ofynnwyd imi gan Gymro deallus am esbonio'r gystrawen iddo. Yr oedd yn deall yr ystyr wrth gwrs, ond ni allai ddeall y peirianwaith. A dyna fai fy nhipyn celfyddyd i—rhodres gramadegol yn

difwyno blas y stori i'r darllenydd. Dywedais ar ddech-
rau'r paragraff hwn fod rhai'n *ceisio* defnyddio'r hen
gystrawen. Nid ydynt yn llwyddo bob amser. Dyma'r
peth rhyfedd ac ofnadwy a geir ganddynt—*Methir
gennyf fynd*. Yn eu ffwdan ramadeglyd mae'r bobl hyn
wedi methu deall y gwahaniaeth rhwng *ystyr* amhersonol
methu gynt a *ffurf* amhersonol *methu*. Troi'r cloc yn ôl
yw ceisio'n gorfodi i ysgrifennu *Metha gennyf fynd* yn
hytrach na'r ffurf symlach a hollol fyw *Methaf fynd*.
Troi'r cloc yn ôl a thorri'r sbring mawr yn y fargen yw
sgrifennu *Methir gennyf fynd*.

Ond pam yr arhosir gyda *math ar* a *methu gan*? Canys
nid hwy yw'r unig hen briod-ddulliau a " lygrwyd "
gan yr iaith *fyw*. Byddwn i gyd yn *arfer mynd at* ffrind
weithiau. Os sylwn yn fanwl ar iaith y cyfnod pan oedd
math ar a *methu gan* yn ddieithriad, gwelwn mai *arfer o
fynd ar ffrind* y byddem. Ni byddai neb yn *arfer gwneud*
dim gynt, eithr *arfer o wneuthur*, ac os awn yn ddigon pell
yn ôl *arfer o wneithur*. Hefyd nid *myned at* rywun na *dyfod
ato* y byddid, ond *myned ar* rywun a *dyfod arno*. Ond
beth a dâl imi ymhelaethu? Onid yw'r newid hyn a
welwn ym maes cystrawen yr iaith yn gwbl gyson â phob
newid arall a fu arni? Rhaid inni gofio hefyd, fel y
dywedwyd lawer gwaith yn y llyfr hwn, nad y tro cyntaf
y gwelwn ni gyfnewidiad mewn ffurf a chystrawen yn ein
llenyddiaeth yw'r tro cyntaf i hwnnw ymddangos o
angenrheidrwydd. Mae'r iaith hoyw oedd yn byw ar
dafod leferydd cyn dechrau'n hoedl ni yn beth na allwn
wybod yn fanwl amdano, ac ar yr iaith honno y seilir
yr iaith lenyddol, boed honno mor geidwadol ag y bo.
Pan fo cyfnewidiadau fel hyn wedi greddfu ymhell yn yr
iaith lafar ac yna wedi ymwthio i lenyddiaeth, gwaith
ofer a diangen yw ceisio'u llwyr ddileu er mwyn yr hen
sydd wedi marw. Gellir adfer yr hen beth ar dro fel
addurn, eithr cofier mai addurn ydyw—y ffugrew a'r
perlau siwgr ar y deisen, fel petai.

Ond mae'n rhaid i mi ymatal bellach. Ceisiais
drwy'r llyfr drin yr iaith fel peth byw. Dechreuasom

yn y dechrau, a phob cam o'r ffordd ni pheidiasom â
gweld ôl tyfiant a chynnydd ymhob man. Gwelsom
fod safonau yn newid o dro i dro, ac ychydig iawn o ôl
marweidd-dra a welsom er i ni ar yr un pryd weld
angladd llawer o eiriau a dulliau. Buasai'r astudiaeth
yn llawnach ac yn gyfoethocach lawer pe gallasem ar yr
un pryd fwrw ein golwg dros yr hyn y defnyddiwyd yr
offeryn gwych hwn i'w fynegi o oes i oes. Canys er mor
ddiddorol y gall iaith fod ynddi ei hun, fel y mae'r iaith
Gymraeg yn bendifaddau, cymharol ddiwerth ydyw i
fywyd dyn oni throsglwyddir iddi hufen y bywyd
hwnnw'n gyson a pharhaus. Ac wrth derfynu, carwn
bwysleisio'r farn nad y gramadegydd na hanesydd yr
iaith sy'n mynd i'w chadw hi'n fyw. Mae defnydd eu
gwaith hwy eisoes yn farw, canys yr iaith o'r dechrau
hyd yr awr hon yw maes eu hymchwil a'u hastudiaeth.
Os gwnânt eu gwaith yn deilwng, fe ddatguddiant i ni
ddichlynder a harddwch yr hyn a fu, ac ni pheidiant â
dangos lle y bu gwendid. Eithr nid eiddynt hwy'r
dyfodol yn rhinwedd eu crefft. Eiddo'r genedl yw
dyfodol yr iaith, ac fe fydd iddi ddyfodol tra pery'r
genedl i roi ei bywyd ei hun i'w hiaith. Dichon na
ddibrisia hi lafur gramadegydd a hanesydd ei hiaith,
ond na adawed i'w lafur ef fynd yn drech na hi. Canys
yna bydd defnydd ei grefft ef wedi ei meistroli hi, a
gwae'r iaith pan fo hi wedi gorthrechu ei chenedl,
oherwydd wedyn fe'i gwrthodir gan ei chenedl ei hun, a
bydd farw. Hyd yr awr hon gwnaeth y genedl Gym-
raeg i'w hiaith adrodd ei stori yn weddol lawn, ac ni
phetrusodd ei newid a'i thrwsio pan fyddai'r stori yn
newid. Nid trwy ei chaboli a'i rhoi dan ddisgleirdeb
ei byclau pres ar ford y parlwr y bydd hi byw. Yr wyf
yn hyderu fy mod wedi llwyddo i ryw raddau i ddangos,
wrth geisio egluro'i datblygiad, mai trwy fynnu ei
defnyddio a'i hystwytho a'i chyfoethogi â bywyd heddiw
ac yfory y gallwn ni sy'n ei charu ei gwasanaethu orau a
buddiolaf.

NODIADAU LLYFRYDDOL

CYFFREDINOL.

NID oes un llyfr Cymraeg y gellir troi ato ar fater iaith yn
gyffredinol. Gellir awgrymu'r llyfrau Saesneg canlynol :
Language, J. Vendryes, (translated by Paul Radin), Kegan
Paul, Trench, Trubner and Co., Ltd., 1925 ; *Language, its Nature,
Development and Origin*, Otto Jespersen, Allen and Unwin, 1921, a
chan yr un awdur, *Mankind, Nation and Individual from a Linguistic
Point of View*, Williams and Norgate, Ltd., 1925 ; *Semantics*, M.
Bréal, Heinemann, 1900. Carwn yn fawr iawn pe byddai rhai o
weithiau yr ysgolhaig gwych o Ffrancwr, yr Athro A. Meillet, o
fewn cyrraedd i'r Cymro. Mae *Lectures on Welsh Philology* John
Rhys yn hen iawn erbyn hyn, ond ni pheidiasant â bod yn llawn
gwerth eu darllen o bell ffordd. Yr un modd am erthygl John
Morris-Jones ar *Cymraeg* (*yr Iaith*) yn ail argraffiad y *Gwyddoniadur
Cymreig*, Cyf. III., td. 48-79. Dylwn ddweud na fwriedir i'r nod-
iadau hyn fod yn gyflawn, a'm bod yn eu cyfyngu gan mwyaf i
lyfrau y gallo'r cyffredin eu defnyddio.

PENNOD I.

Tud. II. Galeg. Yr unig lyfr hwylus ar yr iaith hon yw *La
Langue Gauloise* gan y diweddar G. Dottin. Wrth gwrs mae papurau
Rhys o flaen y British Academy yn werthfawr dros ben, a hwynt-
hwy yw'r unig ddefnydd bron yn Saesneg : *Celtae and Galli* (1905),
The Celtic Inscriptions of France and Italy (1906), *The Coligny Calendar*
(1910), *The Celtic Inscriptions of Gaul* (1911), *The Celtic Inscriptions
of Cisalpine Gaul* (1913), *Gleanings in the Italian Field of Celtic Epigraphy*
(1914).

PENNOD II.—IV.

Ceir ymdriniaeth lawn â'r cyfnewidiadau yn seiniau'r iaith
y sonnir amdanynt yn y penodau hyn yn *A Welsh Grammar*, J.
Morris Jones, Oxford, 1913. Yn y rhan sy'n ymdrin yn unig â
datblygiad y seiniau Indo-Ewropeg a Lladin (td. 74-1891) ceir llawer
o ddamcaniaethau na ellir eu derbyn, ac mae hynny'n wir am rai
damcaniaethau yn yr adran ar Ffurfiant (192-452). Nid ymddan-
gosodd y llyfr anffaeledig eto mewn unrhyw iaith ! Ond mae'r

dosbarthiad ar Ffurfiant yr iaith yn y llyfr hwn yn safonol. Gall y sawl sy'n medru Almaeneg droi at waith gorchestol yr Athro H. Pedersen ar yr ieithoedd Celtaidd ; talfyriad Saesneg ohono yw *A Concise Comparative Celtic Grammar*, Henry Lewis & Holger Pedersen, Gottingen, 1937.

PENNOD IV.

Tud. 57-59. Ar gyfnod ffurfiad cyntaf yr iaith Gymraeg gweler *Y Cymmrodor*, XXVIII., (*Taliesin* by Sir John Morris-Jones, M.A.), tud. 28-35. Hefyd, ' The Personal Names in the Early Inscriptions,' Ifor Williams, *An Inventory of the Ancient Monuments in Anglesey*, 1937, tt. cxiv—cxvii.

PENNOD V.

Yr unig lyfr cyflawn ar yr Elfen Ladin yw llyfr yr Athro Loth, *Les mots latins dans les langues brittoniques*, 1892. Ni ellir ei gael bellach, ac wrth gwrs mae ynddo lawer iawn sydd erbyn hyn yn anghywir. O flaen y gwaith hwn gellir cyfeirio at erthyglau Rhys yn *Archaeologia Cambrensis*, 1873—1875. Gweler hefyd bapurau'r Athro J. Lloyd-Jones yn *Zeitschrift für Celtische Philologie*, VII. 462— 474, a'r *Bulletin of the Board of Celtic Studies*, II., 297—8. Ychwaneger bellach *Yr Elfen Ladin yn yr Iaith Gymraeg*, Henry Lewis, Gwasg Prifysgol Cymru, 1943.

PENNOD VI.

Tud. 82—4. Benthyciadau Gwyddeleg. Gweler *Goidelic Words in Brythonic* Rhys yn *Archaeologia Cambrensis*, 1895, td. 264—302, ac *Ireland and Wales*, Cecile O'Rahilly (Longmans, Green and Co., 1924), td. 142—146.

Am yr esboniad ar *talcen* gweler nodiad yr Athro Ifor Williams yn y *Bulletin B.C.S., IV., 58—60.*

Tud. 85-92. Benthyciadau Saesneg. Gweler *The English Element in Welsh*, T. H. Parry-Williams (Cymmrodorion Record Series, No. X), London, 1923.

Tud. 93-94. Benthyciadau Ffrangeg. Gweler papur yr Athro Morgan Watkin, " The French Literary Influence in Mediaeval Wales," yn y *Cymmrodorion Transactions*, 1919-20, td. 57-72. Ceisir dangos bod y benthyciadau Ffrangeg yn Gymraeg yn niferus iawn. Ond fel y dywedodd yr Athro Loth nid yw'r tarddiadau a awgryma'r Athro Watkin gan mwyaf yn " dal dŵr." Dywedodd ymhellach fod yn rhaid un ai dileu neu ail-wneud (*á supprimer ou á refaire*) gwaith yr Athro Watkin ar y benthyciadau Ffrangeg.

NODIADAU LLYFRYDDOL

PENNOD VII.

Dylid darllen Rhan I *Y Gymraeg mewn Addysg a Bywyd*, tud. 1-79.

Tud. 97-99. Cymraeg Cynnar. Gweler *Y Cymmrodor*, XXVIII (*Taliesin* J.M.-J.), tud. 260-7 am ymdriniaeth ag arysgrif Tywyn Meirionnydd (" The Stone of Cingen," h.y. Maen Cynien) a llun ohoni ; tud. 268-279 am ymdriniaeth ar y weithred o ddyddiau Teilo (" The *Surexit* Memorandum "—â'r gair Lladin hwn y dechreua'r weithred) a llun y tudalen. Traethir ar ysgrifen Llyfr St. Chad yn *Early Welsh Script*, W. M. Lindsay, Oxford, James Parker and Co., 1912, tud. 1-7, a rhoir dau ddarlun.

Tud. 99-105. Hen Gymraeg. Ceir yr holl eiriau a ddigwydd yn y glosau Cymraeg, Cernyweg, a Brythoneg yn *Vocabulaire Vieux-Breton* yr Athro Loth, 1884. Fe'u cymerwyd ganddo o *Grammatica Celtica* Zeuss (1871, tud. 1052-1081) ac o amrywiol weithiau Whitley Stokes. Bellach dangosodd yr Athro Ifor Williams yn y *Bulletin of the Board of Celtic Studies*, V. 1-8, 226-248 (llun yn wynebu tud. 228) fod mynych wallau ymhlith darlleniadau Zeuss o'r glosau yn Rhydychen ; gweler hefyd VI. 110-8. At hynny ni ellir dibynnu rhyw lawer ar yr esboniadau yn llyfr yr Athro Loth ar y geiriau Cymraeg erbyn hyn.

Am ddau gasgliad englynion y Juvencus gweler erthyglau'r Athro Ifor Williams yn y *Bulletin*, VI. 101-110, 205-224. Ceir ei nodiadau ar yr englyn yn llyfr Ieuan ap Sulien yn *Cylchgrawn Llyfrgell Genedlaethol Cymru*, II. 69-75.

Gweler *Early Welsh Script* am draethiad ar y llawysgrifau sy'n cynnwys y glosau y sonnir amdanynt a darluniau ; tud. 7-10, 11-22, 26-33.

Tud. 101. Traethawd ar Seryddiaeth. Yr enw a roir arno yw *Computus*. Ceir ymdriniaeth lawn arno yn y *Bulletin B.C.S.*, III. 245-272, gan yr Athro Ifor Williams.

Tud. 105. Ymdrinir yn helaeth â henaint y farddoniaeth y sonnir amdani yma yn y *Cymmrodor* XXVII gan Syr John Morris-Jones. Gweler hefyd *Canu Llywarch Hen* a *Canu Aneirin*, yr Athro Ifor Williams.

Tud. 105-107. Cymraeg Canol. Gweler *An Introduction to Early Welsh*, John Strachan, Manchester, 1909. Wrth gwrs rhaid nodi *A Welsh Grammar* a Lewis & Pedersen yma hefyd.

Tud. 107-109. Cymraeg Diweddar. *An Elementary Welsh Grammar*, John Morris-Jones, Oxford, 1921, yw'r llyfr safonol ar seinyddiaeth a ffurfiant yr iaith yn y cyfnod hwn.

125

Pennod VIII.

Ar gystrawen y cyfnod canol gweler *Zeitschrift für Celtsche Philologie*, XVII, 81-101, " Some Features of Middle Welsh Syntax " (J. Lloyd-Jones) ; *Bulletin of the Board of Celtic Studies*, IV. 179-189, " Y Berfenw," (Henry Lewis). Ceir llawer o fanylion hefyd yng ngramadeg Strachan, ond eu bod yn naturiol ar wasgar, hefyd Lewis & Pedersen.

Am y cyfnod diweddar gellir ymgynghori â *Priod-ddulliau'r Gymraeg*, Joseph Harry, Llundain, Foyles' Welsh Depot, 1927. Mae hefyd amryw bwyntiau ar gystrawen yma a thraw yng ngramadeg bach Syr John Morris-Jones. Ymhellach, *Welsh Syntax*, Syr John Morris-Jones, Cardiff, 1931 ; *Cystrawen y Frawddeg Gymraeg*, Melville Richards, Caerdydd, 1938.

Tud. 113—118. Mae'r ymdriniaeth hon ar y frawddeg wedi ei seilio ar ddau bapur o'm heiddo, " Y Ferf a'r Testun " yn y *Zeitschrift für Geltische Philologie* XVII, 107-110, a " Safle'r Ferf " yn y *Bulletin B.C.S.*, IV 149-152. Gweler hefyd " The Sentence in Welsh," Darlith Goffa Syr John Rhys gerbron y British Academy, 1942.

MYNEGAI

I. CYFFREDINOL.

II. IEITHYDDOL A GRAMADEGOL

TABLAU SEINIAU

1. MEWN GEIRIAU CYNHENID.

IE.=Indo-Ewropeg ; C.=Celteg ; B=Brythoneg ;
Cym.=Cymraeg.

IE.	C.	Br.	Cym.	Tud.
ā ō	ā	ā	aw, o	16, 30, 66.
ē	ī	ī	i	16, 30, 65.
ī	ī	ī	i	30, 65.
ū	ū	ū	i	30, 65.
-ō	-ū	-ū	i	39, 66.
ai	ai	ai	oe	30, 67.
ei	ei	ē	wy	30, 65-6.
oi	oi	oi	u	30.
au	ou	ou	u	30, 66.
eu			aw	67.
ou			au	66.

IE., C., B.	Cym.	Tud.
ă o flaen -ĭ, -ō (a gollwyd)	ai	38-9.
ĕ ,, ,, cyts. drwynol + mud.	y	35.
ĕ ,, ,, g.	y	35.
ĭ ,, ,, ā (a gollwyd)	e	38 49.
ĭ + ct	ith.	37.
o o flaen rc rg	w	35.
ŭ ,, ,, ā (a gollwyd)	o	38, 48.

131

TABLAU SEINIAU I.—*Parhad.*

Cyntefig.	Cymraeg.	Tud.
i̯-	i̯-	32.
-i̯-, B. i̯i̯-	-ydd, -edd	32, 71.
-u̯	gw-	32, 71.
i̯u-	i-	65.
cc	ch	34.
ks	ch	31, 71.
ct	i̯th	37-8.
-(l, r)g-	-(l, r), -(l, r)y, -(l, r)a, -(l, r)w, -(l, r)i̯-	35-6.
gᵘ-, C. B. b-	b-	30.
p, C. B.—	—	5, 70.
kᵘ, B. p.	p-	7, 13, 30, 70
rc, rt	rch, rth	35, 36.
s	h	7, 31, 71.
sl, sm, sn	ll, m, n	31.
sr-, (B. ffr-)	ffr-	31.
st	s	71.
su̯-	chw-	31.

132

II. MEWN GEIRIAU LLADIN.

Llafariaid byr, gw. tud. 64, 68 (rhoi dipton).

Lladin.	Cymraeg	Tud.
ă o flaen ĭ, ī, ō (a gollwyd)	ei, ai	66, 70, 72-3
ă ,, ,, ĭ (Cymraeg *y*)	e	71-3
ĕ ,, ,, ī (a gollwyd)	y	70
ĕ ,, ,, *rp*	a	74
ĭ ,, ,, a (a gollwyd)	e	65
ŏ ,, ,, i̯ (a gollwyd)	y	72
ŭ ,, ,, a (a gollwyd)	o	65
ŭ ,, ,, i̯ (a gollwyd)	y	68, 72
i̯-	i-	71-2
i̯u-	i-	65
u̯-	{ gw-	71-2
	{ b-	72
ā	aw, o	65
ē	wy	66
ī	i	65
ō	u, (aw)	66
ū	u	66
-ō (troi'n -ī ac affeithio, yna diflannu)		66
ae	oe, e	67
oe	oe	68
au	{ eu, au	66-7
	{ aw	67

TABLAU SEINIAU II.—*Parhad.*

Cytseiniaid, gw. tud. 64-79. Ni roir isod ond rhai o'r
cyfnewidiadau.

Lladin.	Cymraeg.	Tud.
cc	ch	65, 75
ct	ịth	78
lc	lch	78
ld, lt	-ll-	70, 72, 79
lm	lf	77
mn	fn	77
rb	rf	77
rc	rch	64
rd	rdd	66
rm	rf	66
rp	rff	73
rt	rth	64, 74
s	s, (h)	71
tt	th	79
x	ịs	71

III.   MEWN GEIRIAU SAESNEG

Saesneg.	Cymraeg.	Tud.
a	a	90
a	e	90
a	o	90
e	a	91
-es	-as, -os, -ws, -ys	91
ē	e	91
ē	i	91
ū	w	91

Cytseiniaid, gw, td. 91-2.

Saesneg *sh*—Cymraeg *si*, td. 3-4, 69, 92.

RHESTR O EIRIAU CYMRAEG

I. CYNNAR A HEN.

II. CANOL A DIWEDDAR.